Para Rosalie, Aimé y Bernabé.
V. A.

Para Alain y Jerôme, el pescador de pájaros.
E. T.

Me han pedido muchas veces que explique
mi amor por las aves. Explicar este amor…
¿Qué podría decir? Me gustan, eso es todo.

Paul Ardenne,
historiador del arte y autor de
Comment je suis oiseau, éditions Le Passage

En la misma serie:

Inventario ilustrado de animales
Inventario ilustrado de los mares
Inventario ilustrado de los árboles
Inventario ilustrado de animales con cola
Inventario ilustrado de insectos

Agradecemos su relectura científica a Jean-Philippe Siblet, ornitólogo de formación
y director del Servicio del Patrimonio Natural del Museo Nacional de Historia Natural de París.

Título original: *Inventaire illustré des oiseaux*

Rúa de Pastor Díaz, n.º 1, 4.º A. 36001 Pontevedra
Tel.: 986 860 276
editora@kalandraka.com
www.kalandraka.com

Faktoría K de libros es un sello editorial de Kalandraka

Impreso en Imprenta Mundo, Cambre
Primera edición: noviembre, 2016
ISBN: 978-84-16721-01-6
DL: PO 466-2016

Virginie
Aladjidi

Inventario ilustrado de aves

Emmanuelle
Tchoukriel

FAKTORÍA K DE LIBROS

PRÓLOGO

Vuelan, ponen huevos, tienen pico… Pero esos no son privilegios exclusivos de las aves: el murciélago vuela, el caracol (gasterópodo) y los peces ponen huevos, la tortuga (reptil) y el pulpo también tienen pico… **La particularidad exclusiva de las aves… son los miles de plumas que recubren su cuerpo y sus alas.**

Existen alrededor de 10 000 especies de aves en todo el mundo. Este Inventario ilustrado os presenta alrededor de ochenta de ellas. Para identificarlas rápidamente, se describe con detalle su plumaje y, como hemos venido haciendo en toda la colección de inventarios ilustrados, se incluye también algún detalle sorprendente de cada especie, destacando alguna anécdota acerca de su alimentación, de su parada nupcial o cualquier otra particularidad. Igualmente, para facilitar la comparación entre aves, se detalla el tamaño medio y la envergadura de cada ave (a título indicativo, una gallina mide cincuenta centímetros de media).

Un canto en el jardín, un grito en el bosque, una silueta en el cielo, un nido en el tejado, una pluma en el suelo… son todos indicios que debemos tener en cuenta para descubrir las aves, reconocerlas y nombrarlas.

Emmanuelle Tchoukriel, ilustradora científica, nos ofrece una sutil y poética visión de las aves. Les da vida con su tinta china y sus acuarelas, como hicieron antaño los dibujantes de las grandes expediciones naturalistas.

Seguramente, dentro de poco, padres, abuelos, bibliotecarios o libreros escucharán las divertidas preguntas de los niños:
¿Sabías que este pájaro trepa a los árboles?
¿Es verdad que este nunca se posa en el suelo?
¿Este otro no puede volar porque no tiene músculos en las alas?

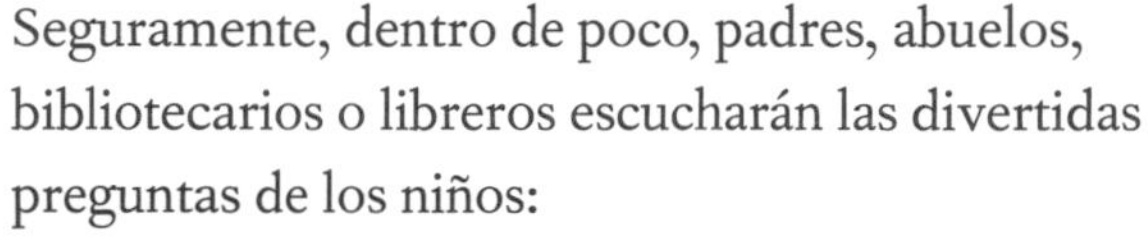

Abrid bien los ojos y los oídos…
¡Podría haber un ave detrás del libro!

Virginie Aladjidi

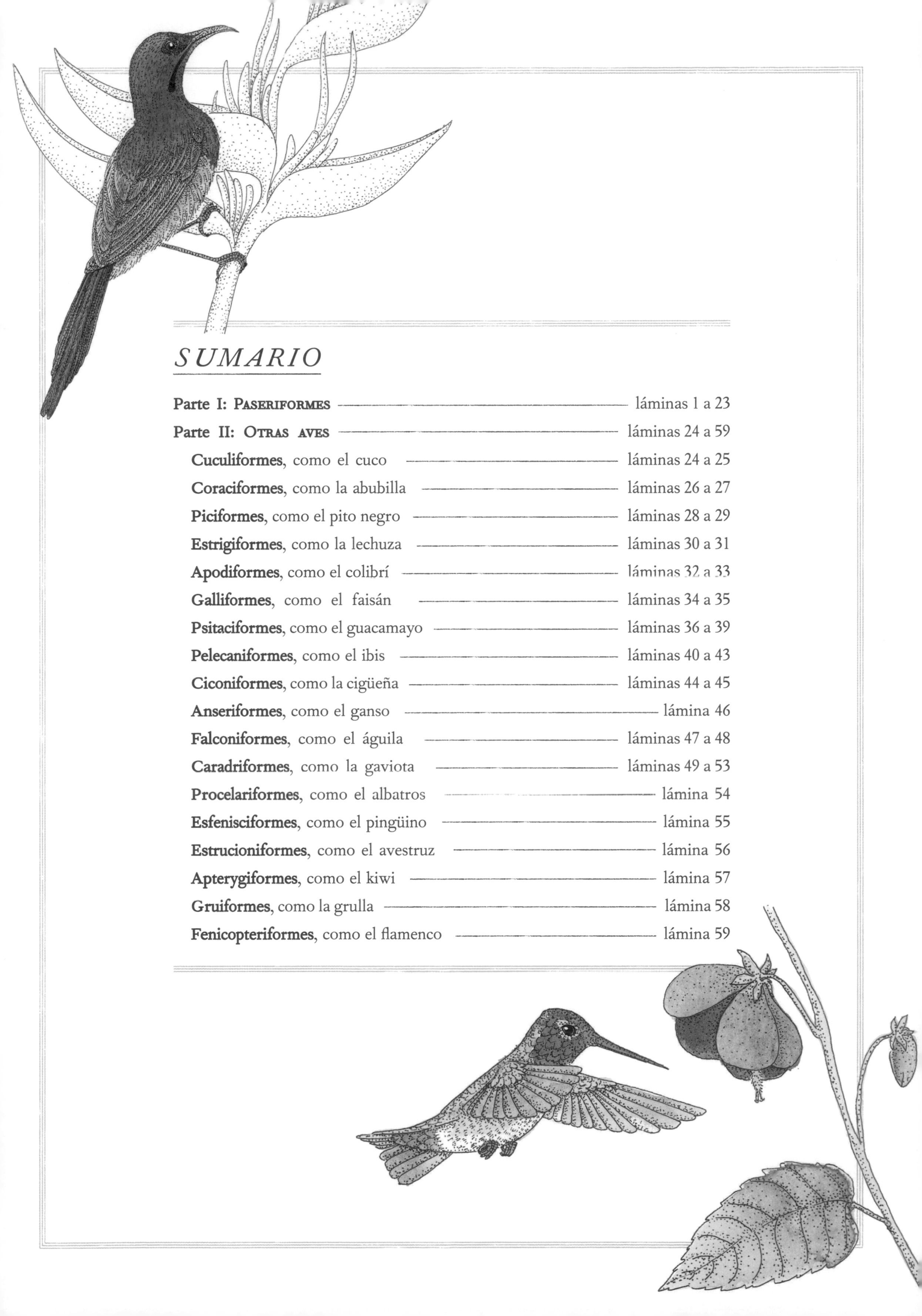

SUMARIO

PEQUEÑO VOCABULARIO ILUSTRADO

Morfología de un ave

Para identificar al ave podemos describir su forma, su pico y sus patas, y, sobre todo, los colores del plumaje que cubre su cuerpo, sus alas, su cola y su cabeza.

La cabeza del ave

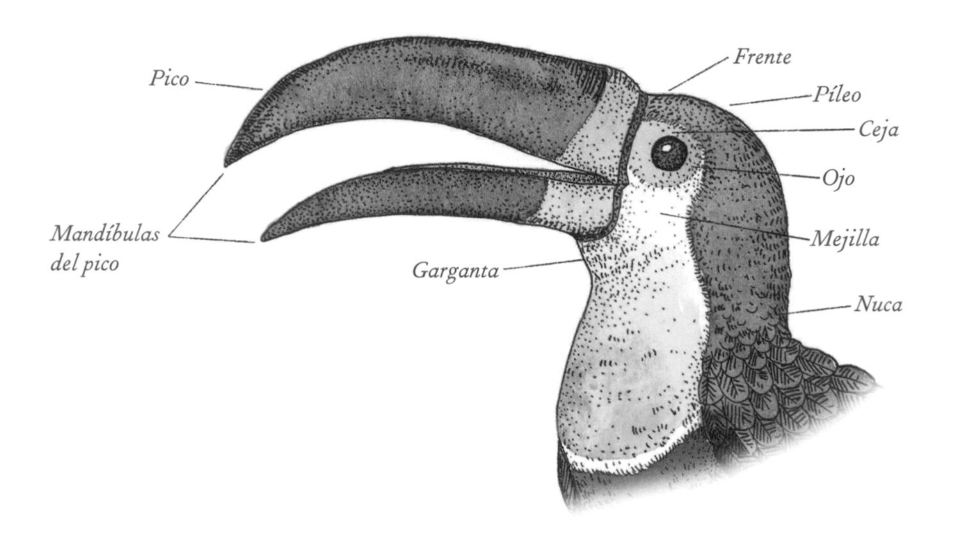

El tucán de pico acanalado

Ramphastos vitellinus

Silueta general

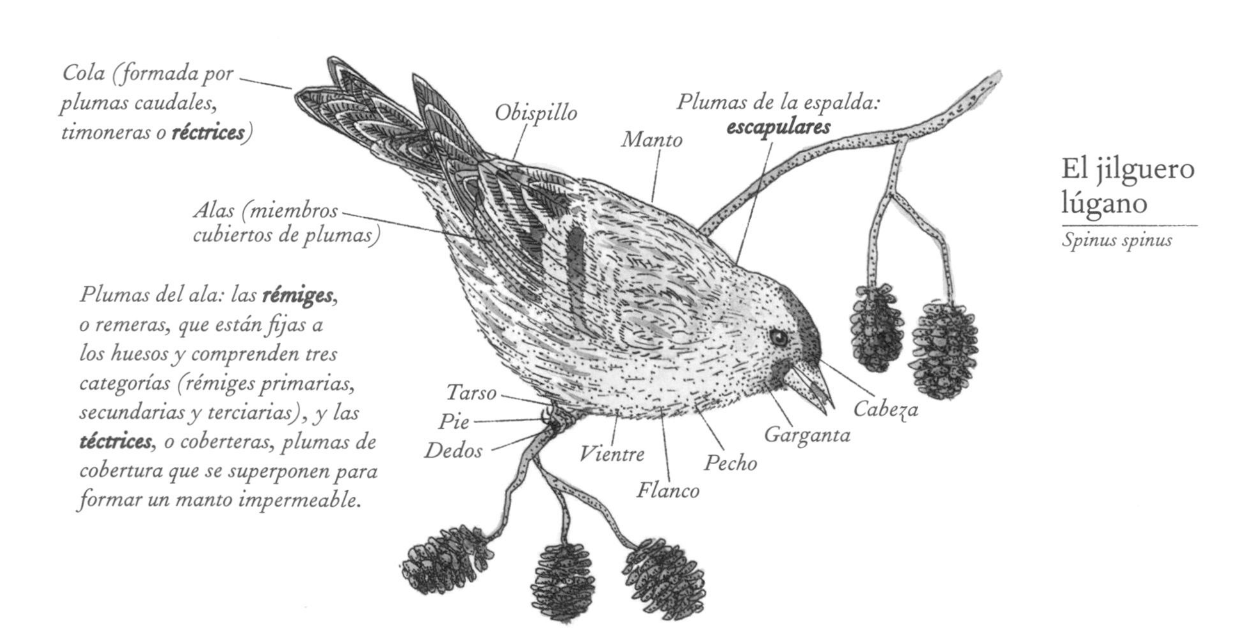

El jilguero lúgano

Spinus spinus

Los huesos de las aves son ligeros y a veces huecos. A la mayor parte de las aves, los poderosos pulmones y los sacos aéreos les dan la energía necesaria para volar. El tamaño del corazón puede ser mayor en las aves migratorias, para mejorar su capacidad de vuelo.

Las plumas

Al menos una vez al año las aves hacen su muda: nuevas plumas sustituyen a las antiguas.

Esta muda les permite renovar su plumaje, que se deteriora por el uso. La frecuencia de las mudas es variable según cada ave. Algunas mudan tres veces al año, mientras que otras tardan tres años en renovar su plumaje. Los plumajes de algunas especies pueden ser muy coloridos antes de la reproducción, para ser luego reemplazados por un plumaje más discreto durante el invierno, como en el caso de los patos. Los plumajes de los machos son generalmente más coloreados que los de las hembras, que deben estar camufladas cuando incuban sus huevos y crían a sus pollos.

Una rémige primaria

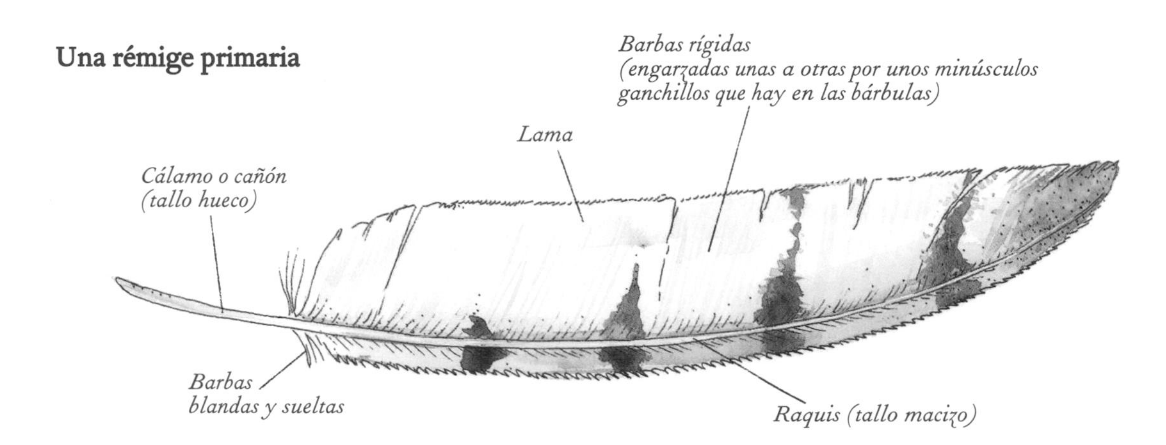

Un plumón

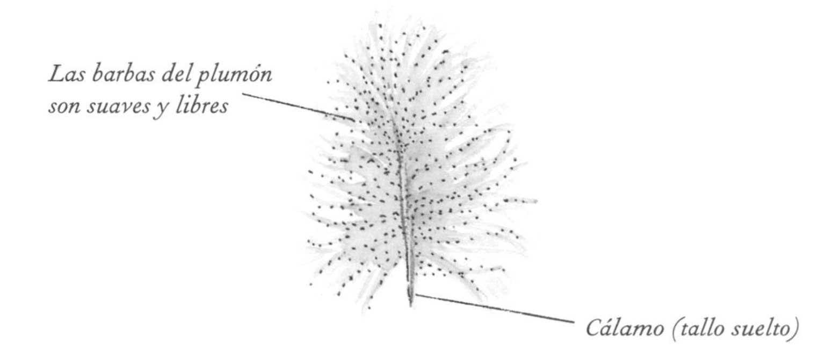

El cisne adulto es el ave más «plumífera»: ¡puede tener hasta 25 000 plumas!

Observemos un ave en vuelo

La forma de vuelo más corriente entre las aves, para desplazarse, es el aleteo:

Las aves, como esta paloma, agitan regularmente las alas, parando de vez en cuando para planear, con las alas de la cola por lo general cerradas, aunque las despliegan para aterrizar o para el cortejo.

Según la especie, el ave utiliza también:

El vuelo a vela: el ave se deja llevar hacia las alturas por las corrientes ascendentes de aire caliente, describiendo círculos. A gran altura, planea, como el halcón (ver p. 63).

El planeo: el ave se desliza por el aire sin mover las alas. Este vuelo es muy utilizado por las grandes aves migratorias, como las cigüeñas (ver p. 58).

El vuelo estacionario: el ave mueve las alas, pero sin desplazarse, para localizar una presa, como el cernícalo (ver p. 62), o para libar, como los colibrís (ver p. 44).

El vuelo en picado: el ave vuela lanzándose hacia abajo, con las alas replegadas, como el halcón peregrino o el martín pescador.

Primera parte

LOS PÁJAROS

Existen más de 6000 aves clasificadas en el orden de los paseriformes.
Eso representa más del **60 % de todas las aves del mundo**.
Se les llama comúnmente «pájaros», y antiguamente «aves canoras».

En inglés estas aves se denominan *songbirds*, «aves que cantan».
En efecto, los pájaros tienen la particularidad de tener la siringe
(órgano del fondo de la tráquea que permite la vocalización)
más desarrollada que las demás aves. Un cartílago situado
en esa parte hace vibrar una membrana ante dos cavidades
que producen resonancia.
Presentamos aquí 25 especies de pájaros y en la mayoría de los casos
nombraremos su canto o su voz. El canto lo utilizan los pájaros
para marcar su territorio. El grito sirve sobre todo para expresar miedo
o para mantener contacto con sus congéneres. Si no se especifica
su ámbito geográfico, quiere decir que podemos verlo en Europa.

Un tordo

Herrerillo común

Cyanistes caeruleus

Tamaño medio (cola incluida): 11,5 cm
Envergadura media: 13 cm

El herrerillo común tiene el píleo, las alas, la cola, las patas y los dedos azules. Su cara es blanca, con un trazo azul que parte del pico, pasa sobre el ojo y llega a la nuca. El vientre redondeado de este pájaro de Europa, África del Norte y Asia es amarillo. El herrerillo común busca su alimento en los árboles. Anida en los huecos de estos y también le gustan los nidos artificiales que se ponen a su disposición, incluso los buzones de correos. ¡Ten mucho cuidado, cartero! Hacen su nido con musgo y lo forran con lana.

El herrerillo trina: «tsitsitsitsi».

Carbonero

Parus major

Tamaño medio (cola incluida): 14 cm
Envergadura media: 25 cm

Este pequeño pájaro familiar de cabeza negra, mejillas blancas, espalda verde y gruesas alas listadas de negro tiene el vientre y el pecho amarillos. Se oyen sus cantos variados y sus gritos de timbre metálico en los bosques y los jardines. El carbonero es muy activo. Examina las grietas de los árboles y de las paredes, y busca su comida en la tierra y en los troncos. Su alimentación es muy variada: insectos, arañas, frutos, granos...

El carbonero trina:
«titiu titiu», «sisisi sisisi».

Las crías de los paseriformes están poco desarrolladas y son alimentadas durante mucho tiempo por sus padres en el nido. Abren el pico para recibir su comida. Se les llama «nidícolas», por oposición a los «nidífugos», que abandonan rápidamente el nido después de salir del huevo. El herrerillo da a sus hijos gusanos ¡40 veces cada hora!

Petirrojo

Erithacus rubecula

Tamaño medio (cola incluida): 14 cm
Envergadura media: 21 cm

Este pajarillo rechoncho e inquieto es fácilmente reconocible por su garganta rojo anaranjado y su cola. Tiene la espalda parda, el vientre blanco y los ojos negros y vivos. Siempre solitario, salta y revolotea picoteando gusanos e insectos. Es poco arisco y se instala a menudo en los parques y jardines. Como es muy confiado, si no te mueves puede llegar a ponerse muy cerca de ti.

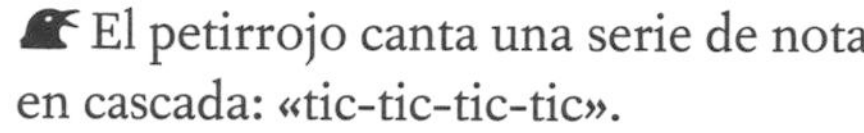
El petirrojo canta una serie de notas en cascada: «tic-tic-tic-tic».

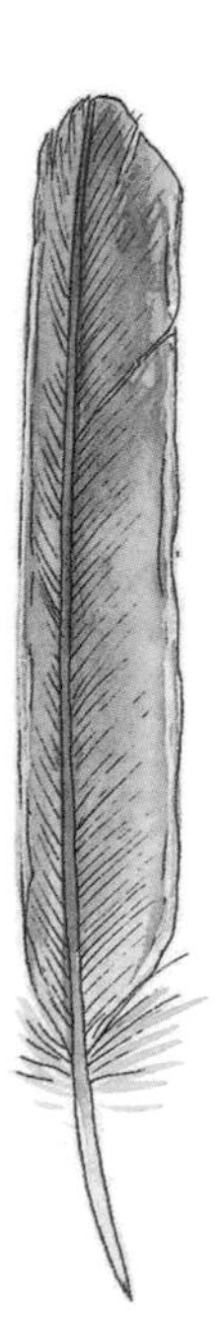

Los pájaros suelen hacer dos mudas al año. Las plumas viejas se caen y el plumaje se va renovando poco a poco. Esta pluma es una rémige de petirrojo.

Gorriones comunes
o pardales

Passer domesticus

Tamaño medio (cola incluida): 18 cm
Envergadura media: 25 cm

Este pájaro de vuelo rápido y saltarín vive por todo el mundo, siempre cerca de donde hay seres humanos. El macho tiene el pecho y el abdomen grises, y las alas pardas. En el momento de la reproducción, tiene una mancha negra en la garganta, en forma de babero, como plumaje nupcial. La hembra tiene un plumaje más grisáceo. Los gorriones comunes no migran, y viven en bandadas, sobre todo en otoño y en invierno.

El gorrión pía: «tchip tchip».

Jilguero

Carduelis carduelis

Tamaño medio (cola incluida): 14 cm
Envergadura media: 23 cm

Con una bonita cabeza roja por delante,
la espalda parda, alas negras, blancas y amarillo oro,
el jilguero es muy inquieto y su vuelo es ondulado.
Es granívoro (come granos) durante una gran parte
del año, y se hace insectívoro (come insectos)
en el momento de la cría de los pollos.

El jilguero trina: «tiglit tiglit».

Los paseriformes ponen un cuidado
especial en la fabricación de su nido.
La hembra del jilguero incuba entre
4 y 6 huevos de color azul muy pálido,
con puntos púrpura, rojos o rosa
concentrados sobre un extremo,
en su nido hecho de raíces, telarañas y
vilanos de diente de león. Su nido
es una verdadera obra maestra, que
puede encontrarse en cualquier árbol,
como aquí, en un tilo.

Lavandera boyera

Motacilla flava

Tamaño medio (cola incluida): 17 cm
Envergadura media: 28 cm

El macho de la lavandera boyera tiene la espalda de color verde oliva y el vientre amarillo vivo, para seducir a la hembra. Este pájaro esbelto de larga cola, elevado sobre sus largas patas, lanza su canto posado sobre un arbusto. Come los insectos que levanta el ganado, de donde le viene su nombre.
La lavandera canta hinchando su pecho en el momento de la parada. Es un ave migratoria de largo recorrido que va a hibernar cada año al sur del Sáhara.

La lavandera boyera canta: «tsip tsip tsip».

Cuervo grande

Corvus corax

Tamaño medio (cola incluida): 65 cm
Envergadura media: 160 cm

El cuervo grande es el mayor de todos los paseriformes. Esta ave prudente, de plumaje negro con reflejos azulados, vive esencialmente en las regiones montañosas. Su pico es macizo y tiene las plumas erizadas a la altura de la garganta. En vuelo, su cola adquiere forma de rombo. Tiene muchos registros de voz, y, aunque imita a otras aves, suele reconocerse su graznido cavernoso. Se unen en parejas durante toda la vida y son sedentarios.

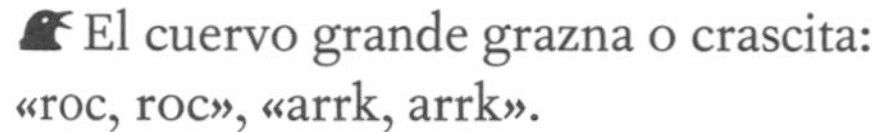

El cuervo grande grazna o crascita: «roc, roc», «arrk, arrk».

Mirlos

Turdus merula

Tamaño medio (cola incluida): 25 cm
Envergadura media: 36 cm

En inglés, al mirlo se le llama *common blackbird*, «pájaro negro común». El macho es todo de color negro azabache, con el pico y un círculo alrededor del ojo completamente amarillos. La hembra es parda. Esta ave vive en zonas boscosas, en setos y matorrales. Antiguamente relegado a los bosques, poco a poco se ha ido habituando a las zonas urbanas, hasta el punto de llegar a ser uno de los pájaros más comunes.

El mirlo gorjea: «tchuk tchuk», «ticticticticti c».

Escribano soteño
o de garganta negra

Emberiza cirlus

Tamaño medio (cola incluida): 16,5 cm
Envergadura media: 23,5 cm

La cabeza del escribano soteño macho es típica: listada de negro y amarillo, con la parte superior del píleo verde y un babero negro. Su obispillo es gris pardo con plumas caudales rojas; su vientre, amarillo y su cola, alargada.
Este pájaro canta desde el mes de febrero con un encadenamiento de entre 10 y 20 sonidos metálicos.

En francés se le llama zizi, por el sonido que emite: «siiiit siiiit».

En el nido del escribano, colocado a poca altura, se pueden ver 4 o 5 huevos azulados, con manchas negras y filamentos pardos.

Curruca zarcera

Sylvia communis

Tamaño medio (cola incluida): 14 cm
Envergadura media: 22 cm

La curruca zarcera se puede ver solamente en verano. Pero es difícil de distinguir porque, como indica su nombre, se esconde a menudo en los matorrales. Sin embargo, se encarama para cantar. El macho tiene la cabeza gris; la hembra, parda. Los dos tienen la garganta blanca y las alas de un rojo parduzco.

La curruca canturrea: «chet chet chet».

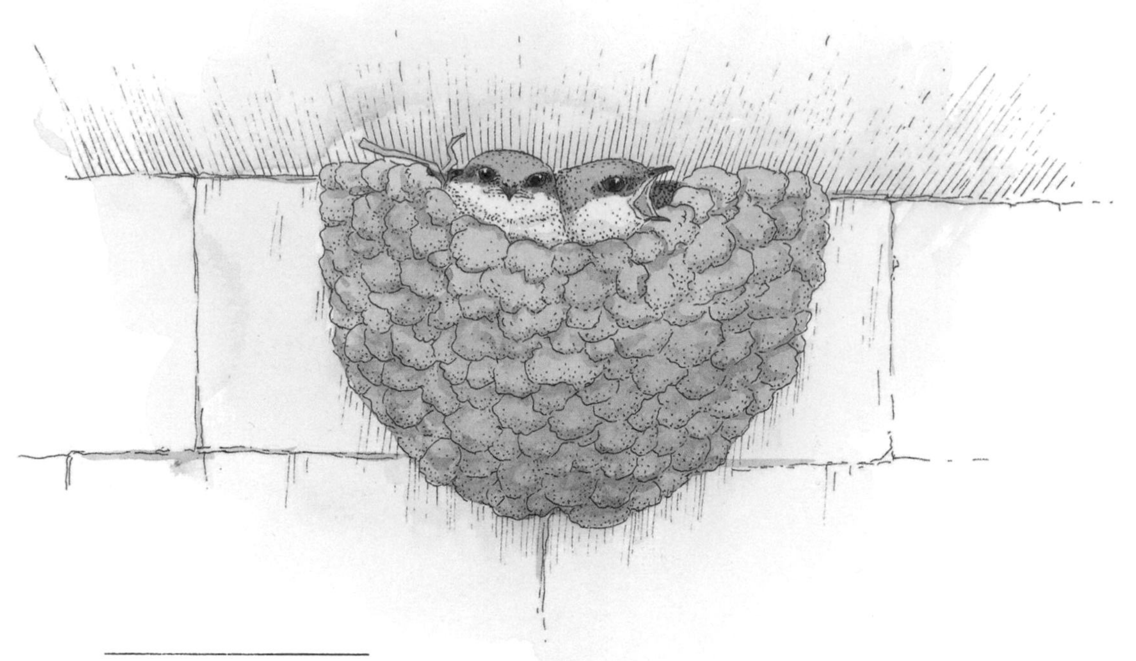

La pareja de aviones no se posa
sobre el suelo más que para recoger,
cerca de los charcos y los estanques,
las bolitas de barro húmedo
con las que construyen sus nidos,
que tienen forma semiesférica,
con una pequeña abertura lateral.
A esta especie le encanta construir
estos nidos de barro seco bajo
las cornisas de las casas y otros edificios.

Avión común

Delichon urbicum

Tamaño medio (cola incluida): 13 cm
Envergadura media: 27 cm

El avión común se reconoce por
su mancha blanca en la parte posterior
de la espalda y por su garganta y su vientre
de color blanco puro. Su cola es corta
y en forma de horca. Su grito, que cambia
según su humor y sus ocupaciones, es menos
variado que el de su pariente la golondrina.
En invierno, migra hacia África.

El avión trisa: «shirp shirp», «prri».

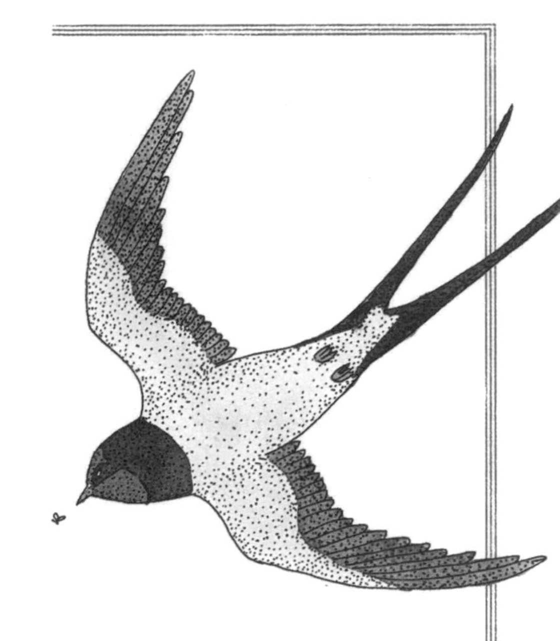

Golondrina común
o andorina

Hirundo rustica

Tamaño medio (cola incluida): 20 cm
Envergadura media: 33 cm

Esta golondrina, que vive muy cerca de los seres humanos, tiene la garganta de color rojo oscuro, que puede parecer negro desde lejos, y el vientre color crema. Su silueta es esbelta, y su cola, afilada. Las dos réctrices laterales, más largas que el resto de las plumas de las alas, son mayores en los machos, y crecen a medida que el ave envejece. La golondrina puede hacer acrobacias aéreas para atrapar a sus presas. Prefiere alojarse en nidos ya existentes, que tienen forma de media copa y están situados cerca de los techos.

La golondrina trisa: «vittt», «tsivitt», y a veces parece el chirrido de una vieja reja de hierro.

Ampelis europeo

Bombycilla garrulus

Tamaño medio (cola incluida): 18 cm
Envergadura media: 34 cm

El ampelis europeo tiene un plumaje y un penacho muy reconocibles por su color rosa salmón. Tiene una ceja negra que se prolonga hacia atrás y la parte posterior de su espalda y su rabadilla son grises. Las marcas sobre las alas indican a veces su edad. Su cola, corta y negra, termina en una banda de color amarillo intenso. El ampelis es un ave típica de la taiga de Escandinavia, Rusia y Asia, pero en invierno pueden llegar hasta el sur de Europa, llevados por la falta de alimento en sus lugares de reproducción.

El ampelis repite su silbido vibrante: «siiirrr», «siiirrr».

Ratona australiana azul
o maluro soberbio

Malurus cyaneus

Tamaño medio (cola incluida): 18 cm

Este pajarillo de las praderas, de los jardines y las ciudades, no vive más que en Oceanía. En el período nupcial, los machos reproductores tienen un plumaje azul eléctrico, y la garganta y una banda sobre los ojos, negras. Las hembras, al igual que los machos no reproductores, tienen un plumaje muy diferente, con coloraciones pardas más o menos oscuras. Se habla en este caso de un dimorfismo sexual muy marcado. En el período de reproducción, el macho arranca pequeños pétalos amarillos y se los ofrece a las hembras.

El canto del maluro soberbio está compuesto de series de sonidos vivos: «chit chit chit».

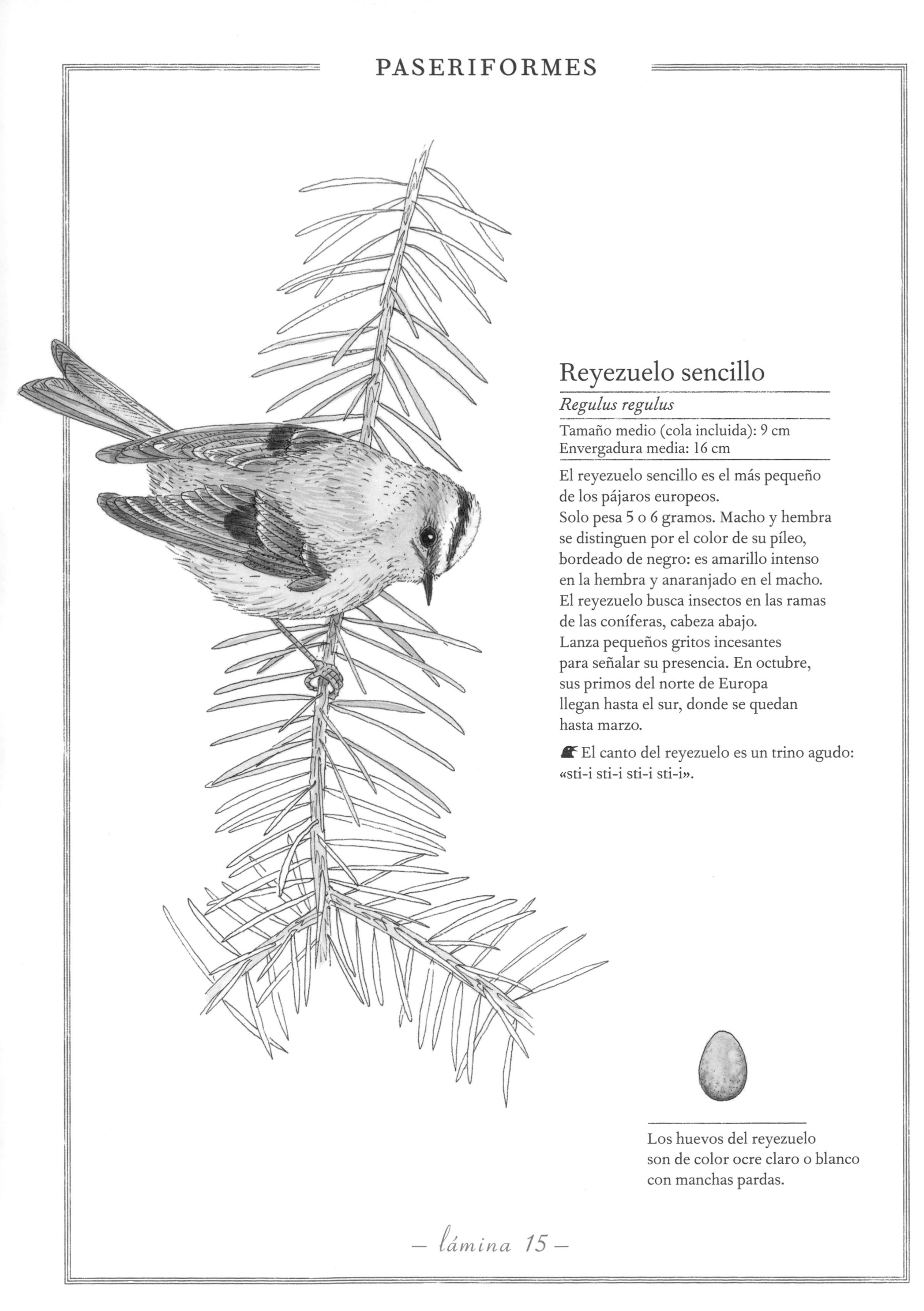

Reyezuelo sencillo

Regulus regulus

Tamaño medio (cola incluida): 9 cm
Envergadura media: 16 cm

El reyezuelo sencillo es el más pequeño de los pájaros europeos.
Solo pesa 5 o 6 gramos. Macho y hembra se distinguen por el color de su píleo, bordeado de negro: es amarillo intenso en la hembra y anaranjado en el macho.
El reyezuelo busca insectos en las ramas de las coníferas, cabeza abajo.
Lanza pequeños gritos incesantes para señalar su presencia. En octubre, sus primos del norte de Europa llegan hasta el sur, donde se quedan hasta marzo.

El canto del reyezuelo es un trino agudo: «sti-i sti-i sti-i sti-i».

Los huevos del reyezuelo son de color ocre claro o blanco con manchas pardas.

Urraca común

Pica pica

Tamaño medio (cola incluida): 46 cm
Envergadura media: 59 cm

La silueta de este córvido, ave de la familia de los cuervos, también llamada picaza o pega, es muy típica, con su larga cola negra con reflejos verdes y violetas que se abre en forma de abanico. Su plumaje es negro en la parte trasera del cuerpo y en la cabeza, y blanco puro en el vientre y los flancos. Sus alas son blancas bordeadas de negro. La urraca vive en pareja y desconfía de los humanos. Caza en las praderas y las zonas inundables. Su vuelo es de poco alcance. Es muy ruidosa. Tiene la costumbre de adornar su nido con objetos brillantes, como vidrios rotos u objetos metálicos, por lo que a veces se la califica de ladrona, lo que no es cierto en absoluto.

La urraca grazna: «chak-chak-chak-chak».

Macho y hembra construyen un gran nido de ramas y tierra cubierto de raíces, con una especie de tejadillo que protege la abertura lateral. Cuando nacen, los jóvenes se alimentan de moluscos, gusanos, roedores, anfibios, reptiles, arañas, orugas, chinches y también de cereales.

Tarabilla común

Saxicola torquata

Tamaño medio (cola incluida): 12 cm
Envergadura media: 20 cm

El macho de la tarabilla común tiene la cabeza negra, la garganta roja y las alas marrones. Este pájaro regordete vive solo o en pareja entre la maleza y trepa sobre las hierbas en busca de insectos. Es sedentaria.

La tarabilla canta un trino corto y chirriante: «suit chak suit chak chak».

Tarabilla de Reunión
o tec-tec

Saxicola tectes

Tamaño medio (cola incluida): 12,5 cm
Envergadura media: 21 cm

La tarabilla de Reunión es un pájaro de bosque, endémico de la isla de Reunión, al este de África, muy común en esa tierra. El macho tiene la cabeza y las alas negras, las cejas blancas, el pecho rojo anaranjado y la garganta y el vientre blancos. La hembra es muy parecida, pero de color más desvaído. Esta ave solitaria caza insectos al vuelo o en el suelo. Hace su nido en la tierra, bajo las ramas. Sus huevos son de color azul verdoso muy claro, pintados de rojo.

Pinzón vulgar

Fringilla coelebs

Tamaño medio (cola incluida): 15,5 cm
Envergadura media: 26 cm

Los pinzones vulgares son migradores parciales: solo los que viven en el norte de Europa se trasladan hasta el sur en invierno. Viven por todo el mundo, en bandadas y siempre cerca de los árboles. Se alimentan también en las viñas y los campos de maíz. En el período nupcial, el macho es rosa con la cabeza azul y la espalda parda. Su pico, gris azulado, en invierno se vuelve marrón claro. Solo él canta, desde el mes de febrero, cuando emite un canto incompleto, como si se entrenase para la llegada de la primavera. Y tú, ¿también cantas como un pinzón?

El pinzón silba: «uit uit uit».

Ave del paraíso de Raggi

Paradisaea raggiana

Tamaño medio (cola incluida): 33 cm
Envergadura media: 55 cm

Hay unas cuarenta especies de aves del paraíso, pájaros de plumaje exuberante. El ave del paraíso de Raggi vive en la selva de Papúa Nueva Guinea. El macho tiene la cabeza amarilla, el cuello verde, el pico azul claro, las alas rojas y la cola rosada colgante durante el período nupcial.
Se junta con otros veinte machos para seducir a una hembra, mediante una danza que ejecutan sobre un lugar despejado llamado «lek».
La hembra es quien elige a su compañero.

Cardenal norteño
o cardenal rojo

Cardinalis cardinalis

Tamaño medio (cola incluida): 22 cm
Envergadura media: 28 cm

El macho del cardenal norteño presenta un plumaje totalmente rojo carmesí, como el hábito de los cardenales católicos (de donde le viene su nombre), y lleva una máscara negra. En las hembras, la máscara es gris y el plumaje pardo grisáceo con toques rojos. Macho y hembra tienen un fuerte pico de color coral. Este pájaro de América come granos, algunos insectos y bebe la savia que brota de la corteza del arce, agujereada por un pájaro carpintero.

El cardenal norteño silba con notas claras: «uit uit», «tu tu».

Suimanga carmesí

Aethopyga siparaja

Este paseriforme vive en la India, Indonesia y Filipinas.
Tiene la cabeza, la espalda y la garganta rojas;
las alas, grises y la cola, azul oscura.
Dos líneas negras salen desde su pico hasta el cuello.
De los reflejos metálicos que se pueden observar en sus plumas
surgió su nombre inglés de *sunbird*, «pájaro sol».
Con su largo pico curvado recoge el néctar de las flores.

Colirrojo tizón

Phoenicurus ochruros

Tamaño medio (cola incluida): 14 cm
Envergadura media: 26 cm

El colirrojo tizón macho tiene la espalda más oscura que la hembra. Su bajo vientre, su obispillo y su cola son de color rojo anaranjado, como indica su nombre. Esta ave puede vivir hasta ocho años. Se la puede encontrar en Europa, Asia y norte de África. Come insectos, larvas, frutos y minúsculos crustáceos que encuentra en las playas.

Los gritos del colirrojo tizón comienzan con un «tsitsitserí», siguen con un ruido como de papel arrugado y terminan con «tsia tsia».

Los huevos del colirrojo tizón europeo son de color blanco inmaculado. Los de los colirrojos de Asia son azules. Es muy raro ver tanta diferencia de color en los huevos de aves de la misma especie.

Ruiseñor común

Luscinia megarhynchos

Tamaño medio (cola incluida): 16,5 cm
Envergadura media: 24 cm

Desde abril hasta junio se oye cantar al ruiseñor, de plumaje marrón rojizo y cola roja, incluso por la noche, lo que es muy raro entre los pájaros. Además tiene un repertorio variado y melodioso. Este pájaro es difícil de ver, porque suele estar escondido entre la maleza. Pero a veces se alza durante unos segundos… ¡Hay que estar atentos!

El ruiseñor gorjea: «uit uit».

Estornino pinto

Sturnus vulgaris

Tamaño medio (cola incluida): 21 cm
Envergadura media: 37 cm

El estornino pinto tiene la cola corta y un plumaje negro moteado de blanco y de marrón en invierno, y negro con reflejos violetas y verdes, un poco menos moteado, en verano. Es más pequeño que el mirlo y, al contrario que este, no salta, sino que camina bamboleándose y agitando la cabeza.
Vive en bandadas (fuera de los períodos de puesta), en el campo, en los bosques, en las ciudades o en la orilla del mar.
Los estorninos se agrupan a veces por centenares de miles de individuos que se arremolinan en formaciones compactas, describiendo arabescos sorprendentes sin que ninguno de ellos colisione con los otros. Por la noche, se reúnen en gigantescos dormitorios.
Este pájaro es insectívoro y frugívoro, y se sirve de su pico, que hunde en el césped o en las algas para encontrar larvas e insectos.

El estornino grazna: su canto comprende chirridos, traqueteos, imitaciones de cantos de otras aves, ¡incluso de ruidos de vehículos y de teléfonos móviles!

Segunda parte

OTRAS AVES

Hay unos treinta órdenes de aves que no están clasificadas dentro de los paseriformes, o pájaros, cada uno de las cuales comprende a su vez una o varias familias. Aquí veremos una o varias especies de aves de 17 órdenes diferentes.

Todas las aves poseen siringe. Las aves no paseriformes no son silenciosas (mudas), pero no se consideran aves canoras. Por ello no indicaremos aquí más que algunos cantos especialmente reconocibles.

Un ánade real con plumaje nupcial

Críalo europeo

Clamator glandarius

Tamaño medio (cola incluida): 39 cm
Envergadura media: 62 cm

Como todos los cuculiformes, el críalo tiene dos dedos hacia delante y dos hacia atrás en cada pie. El críalo europeo tiene la cola larga, la espalda marrón oscura moteada de blanco, el vientre claro y el pico pequeño y curvado. Su cabeza empenachada es gris (negra en los ejemplares jóvenes). Revolotea y brinca por la tierra, con la cola en alto. Ocupa los nidos de los córvidos, principalmente los de las urracas. Se les suele ver en los pinares mediterráneos, donde se alimenta de orugas.

El críalo emite un nervioso: «cricricrí».

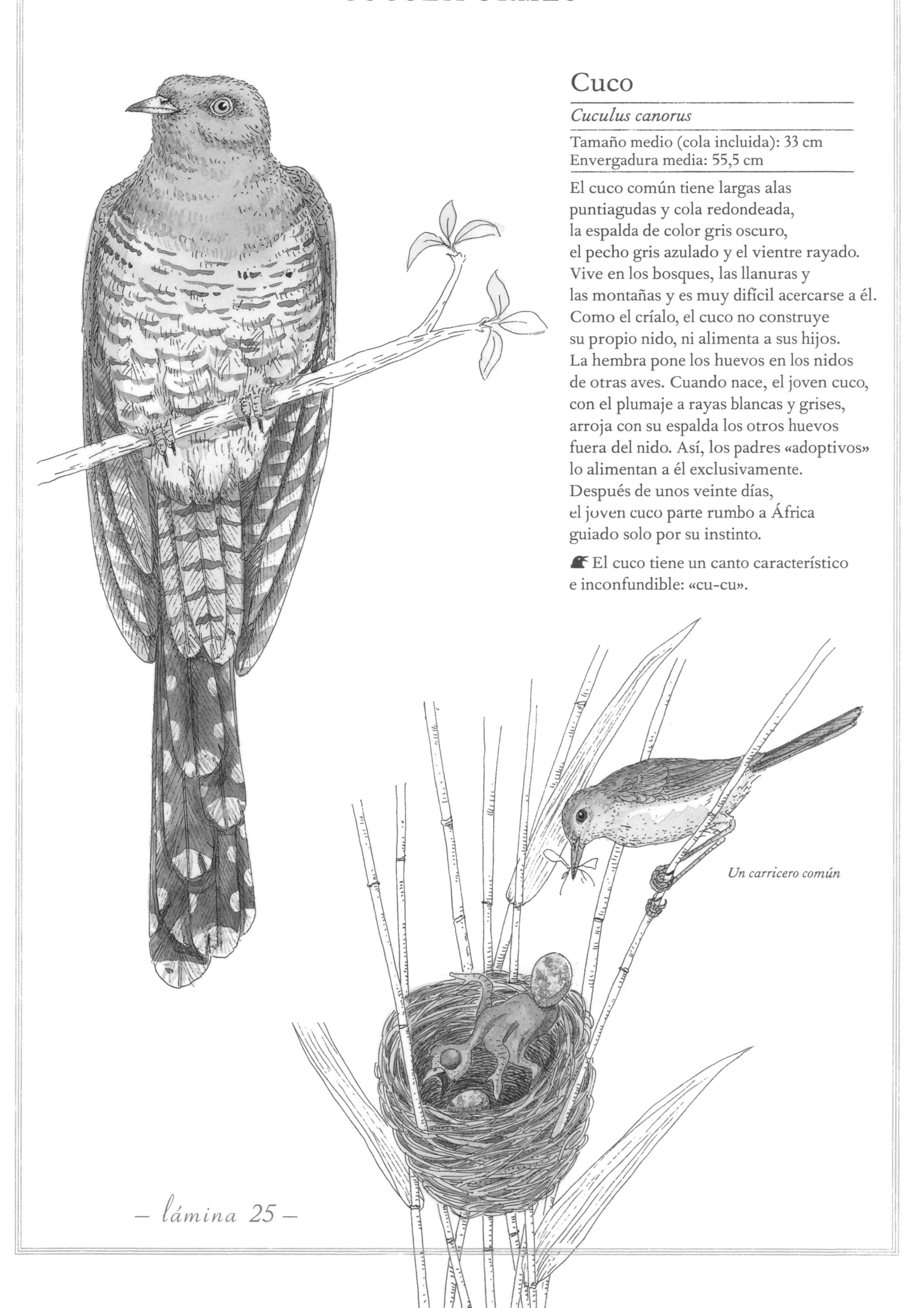

Cuco

Cuculus canorus

Tamaño medio (cola incluida): 33 cm
Envergadura media: 55,5 cm

El cuco común tiene largas alas puntiagudas y cola redondeada, la espalda de color gris oscuro, el pecho gris azulado y el vientre rayado. Vive en los bosques, las llanuras y las montañas y es muy difícil acercarse a él. Como el críalo, el cuco no construye su propio nido, ni alimenta a sus hijos. La hembra pone los huevos en los nidos de otras aves. Cuando nace, el joven cuco, con el plumaje a rayas blancas y grises, arroja con su espalda los otros huevos fuera del nido. Así, los padres «adoptivos» lo alimentan a él exclusivamente. Después de unos veinte días, el joven cuco parte rumbo a África guiado solo por su instinto.

El cuco tiene un canto característico e inconfundible: «cu-cu».

Un carricero común

Carraca europea

Coracias garrulus

Tamaño medio (cola incluida): 31 cm
Envergadura media: 70 cm

Esta ave fornida tiene una gran cabeza cubierta de plumaje azul y verde, como el pecho, la cola y parte de las alas. Su espalda es roja. Con su pico negro, grueso y ganchudo, la carraca europea captura principalmente insectos grandes, como grillos, pero también come gusanos, ranas, lagartos, e incluso pequeños pájaros. Es un ave migratoria que se traslada a África a partir de septiembre.

La carraca europea tiene un grito áspero y sonoro: «rac-ac».

fig. 1

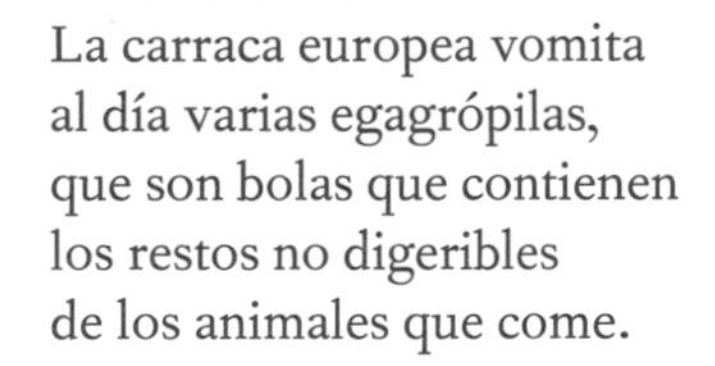

La carraca europea vomita al día varias egagrópilas, que son bolas que contienen los restos no digeribles de los animales que come.

Abejaruco

Merops apiaster

Tamaño medio (cola incluida): 28 cm
Envergadura media: 47 cm

El abejaruco europeo es todo un acróbata en el aire, pero en el suelo es bastante torpe. Es multicolor: píleo y espalda pardo rojizos, cuello amarillo, vientre con matices de azul y verde, y alas azul verdoso con puntos negros. Su pico arqueado lo emplea para excavar sus nidos en los taludes de las riberas de los ríos. Se alimenta de insectos, principalmente de avispas, abejorros y, como su nombre indica, de abejas. En otoño, el abejaruco, privado de su alimento, emigra hacia África occidental.

La voz del abejaruco europeo es una serie de gritos vibrantes: «priip priip priip».

fig. 2

Abubilla

Upupa epops

Tamaño medio (cola incluida): 27 cm
Envergadura media: 44 cm

El plumaje anaranjado de la abubilla está listado de negro en las alas y la cola. Tiene un penacho de plumas eréctil (que puede levantar), largo, anaranjado con las puntas negras. Con su largo pico negro y fino, la abubilla atrapa las larvas y los insectos que encuentra incluso entre los excrementos secos. Migra a África en invierno, pero vuelve a casa muy pronto, hacia febrero.

La abubilla tiene un canto bajo y sonoro al que debe su nombre: «bub-bub-bub-bub».

Pito negro
o picamaderos

Dryocopus martius

Tamaño medio (cola incluida): 46 cm
Envergadura media: 66 cm

Esta ave es la mayor de los piciformes europeos.
Es negro, pero tiene el píleo rojo.
Como todos los de su familia, busca larvas,
hormigas y otros insectos dentro de la madera.
Para ello, trepa a lo alto de los troncos gracias
a sus uñas curvadas y a su cola, que le sirve de apoyo.
Su tamborileo puede oírse desde lejos:
golpea las ramas o el tronco con su potente pico,
y puede dar 20 golpes en menos de 3 segundos.
Es capaz de resistir golpes muy violentos, ya que tiene
el cerebro adherido al interior del cráneo
mediante músculos amortiguadores.

El pico negro emite un sonoro «cru-cru-cru-cru-cru».

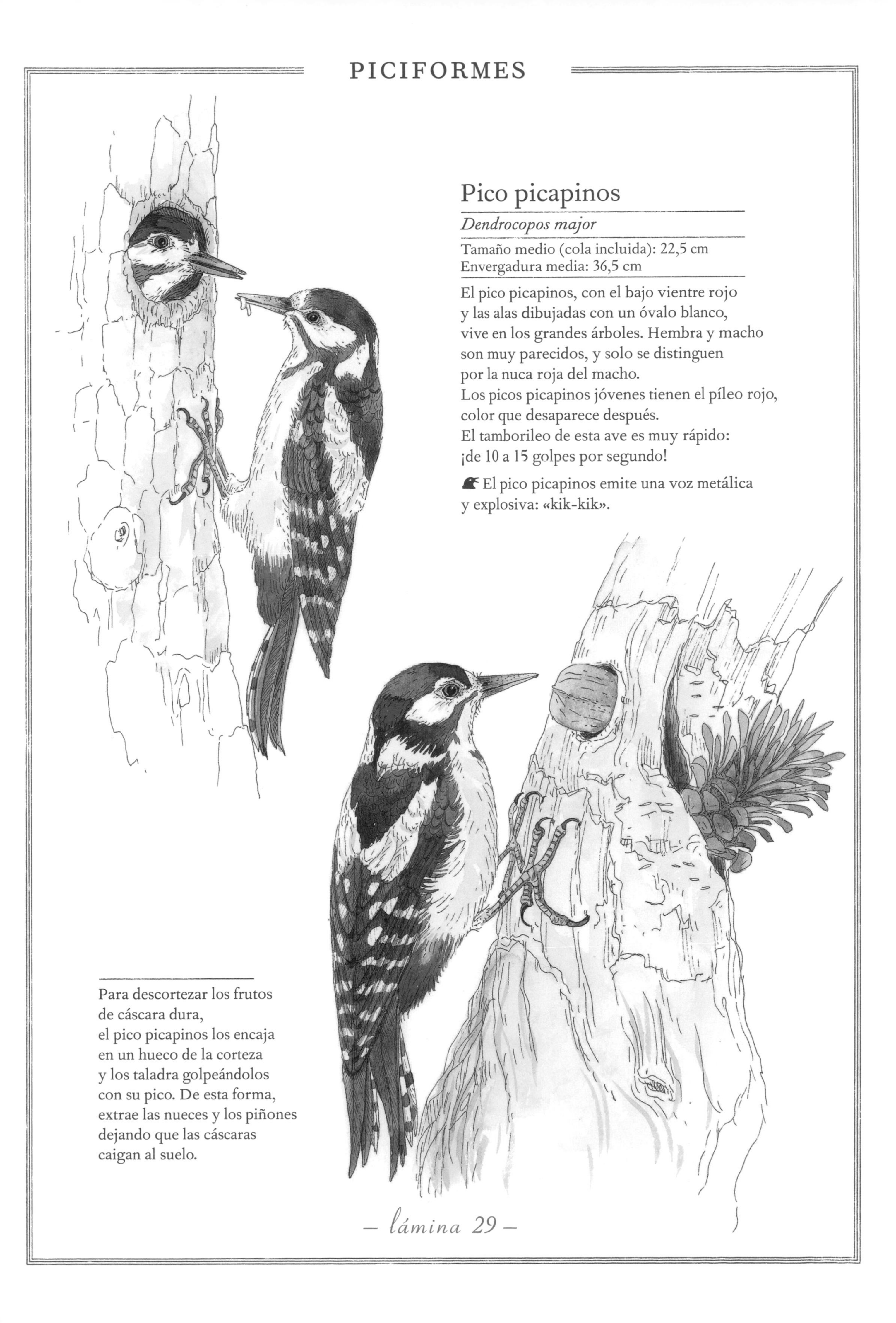

Pico picapinos

Dendrocopos major

Tamaño medio (cola incluida): 22,5 cm
Envergadura media: 36,5 cm

El pico picapinos, con el bajo vientre rojo y las alas dibujadas con un óvalo blanco, vive en los grandes árboles. Hembra y macho son muy parecidos, y solo se distinguen por la nuca roja del macho.
Los picos picapinos jóvenes tienen el píleo rojo, color que desaparece después.
El tamborileo de esta ave es muy rápido: ¡de 10 a 15 golpes por segundo!

El pico picapinos emite una voz metálica y explosiva: «kik-kik».

Para descortezar los frutos de cáscara dura, el pico picapinos los encaja en un hueco de la corteza y los taladra golpeándolos con su pico. De esta forma, extrae las nueces y los piñones dejando que las cáscaras caigan al suelo.

Búho real

Bubo bubo

Tamaño medio (cola incluida): 72 cm
Envergadura media: 170 cm

Es la mayor de todas las rapaces nocturnas. El búho real tiene la espalda marrón y negra, la frente y el píleo de color gamuza (beis anaranjado) moteado; su vientre, del mismo color, presenta ondulaciones verticales negras. Caza durante la noche gracias a su finísimo oído y a su vista penetrante. Es muy fuerte, y ataca a sus presas con sus negras garras aceradas. Su canto se puede oír a 5 kilómetros de distancia, siempre después de que caiga el sol.

El búho real aúlla o ulula: «u-hu».

Lechuza

Tyto alba

Tamaño medio (cola incluida): 36 cm
Envergadura media: 90 cm

La lechuza no se deja ver mucho, pero es un ave bastante común. Con su espalda roja grisácea, su cara en forma de corazón y su vientre blanco, se la denomina «la dama blanca». El disco de plumas de su cara amplifica los sonidos, y sus conductos auditivos desplazados le permiten localizar a sus presas incluso en la oscuridad. Esta rapaz nocturna caza activamente al amanecer y al anochecer, pero grita solamente por la noche: ¡estremece un poco! Anida en graneros, granjas, hangares, campanarios…

La lechuza silba y sisea: «ssshhhh».

Las aves de este orden de los apodiformes no pueden andar, pero son excelentes en vuelo. Un buen ejemplo son los colibrís. Existen 300 especies de estas aves, tan pequeñas que también se les llama «pájaros mosca». No viven más que en América. Los cantos de los colibrís son silbidos poco agradables para el oído humano: una mezcla de pequeños gritos agudos y notas ásperas.

Colibrís de Ana

Calypte anna

En proporción a su tamaño, el colibrí es el animal más rápido del mundo. Los colores de su plumaje son impactantes: tiene la garganta de un color rosa profundo, y las alas y los flancos, verde esmeralda.

Colibrí zumbadorcito

Mellisuga minima

El nido del colibrí zumbadorcito tiene el tamaño de media cáscara de nuez. Su silbido, musicalmente elaborado, dura 30 segundos.

Zuncito
o elfo de las abejas

Mellisuga helenae

Los huevos del colibrí abeja miden 9 milímetros. ¡Son los huevos más pequeños de todas las aves!

Vencejo común

Apus apus

Tamaño medio (cola incluida): 16 cm
Envergadura media: 39 cm

El plumaje del vencejo es oscuro,
salvo en la garganta, que es clara.
Estas aves migratorias pasan todo el tiempo
en el cielo. Comen, e incluso se aparean,
en vuelo. Anidan en colonias bajo las tejas
de los tejados o en los huecos de los árboles.
Son capaces de dormir en pleno vuelo gracias
a un extraño mecanismo de sueño:
su cerebro solamente mantiene una parte activa,
mientras el resto queda en reposo.

El vencejo trisa, con gritos penetrantes:
«srriii srrri, srrii».

Faisán venerado

Syrmaticus reevesii

Tamaño medio (cola incluida): 210 cm
Envergadura media: 80 cm

Originario de China, el faisán fue introducido en Europa para la caza. El macho tiene un collar y una máscara negros, y el plumaje amarillo, blanco y negro. Durante el período nupcial, levanta sus réctrices, que pueden llegar a alcanzar los dos metros, haciendo ondular sus extremidades. Vive en los bosques, donde encuentra bellotas y yemas de plantas. En China está en vías de desaparición, y tal vez un día se salve de la extinción por las aves criadas en Europa.

El faisán grazna: «corroc».

fig. 1

Los galliformes, que antes eran llamados gallináceas, son aves de costumbres terrestres. Tienen un aspecto robusto, con patas fuertes y alas cortas y obtusas. Existen 300 especies en todo el mundo.

fig. 2

Colín de Virginia

Colinus virginianus

Tamaño medio (cola incluida): 25 cm
Envergadura media: 37,5 cm

El macho y la hembra del colín de Virginia, de silueta fornida, son muy diferentes: las bandas sobre el ojo y en el cuello son de color gamuza en la hembra y blancas en el macho. Estas aves viven en grupos y se estrechan unas contra otras cuando se hace sentir el frío. En caso de peligro, los colines de Virginia se desbandan en todas direcciones para desorientar a su predador.

fig. 1

Perdiz nival
o lagópodo alpino

Lagopus muta

Tamaño medio (cola incluida): 35 cm
Envergadura media: 57 cm

El macho de la perdiz nival cambia de plumaje cuatro veces durante el año, y la hembra lo hace tres, cuando en general las aves no suelen hacerlo más que dos veces.
De esa forma adaptan su camuflaje al entorno, y a la presencia o ausencia de nieve.
En invierno, el lagópodo alpino es totalmente blanco, salvo una mancha negra al extremo de la cola. En verano, tiene la espalda listada de pardo y negro, y el vientre, blanco.
En otoño, su librea es más corta, grisácea, escamada de blanco por arriba y toda blanca por abajo. La alta montaña es el medio de vida de la perdiz nival, incluso en verano.

La voz del lagópodo es un «crorrocró» seco y áspero.

fig. 2

Gallo lira

Tetrao tetrix

Tamaño medio (cola incluida): 50 cm
Envergadura media: 72 cm

El gallo lira tiene un plumaje negro con reflejos azulados, una excrecencia roja, llamada cresta, por encima del pico, y una cola blanca en forma de lira, de donde le viene su nombre.
En primavera, los machos se reúnen para hacer la parada en los prados de montaña y las turberas, rivalizando en cantos y posturas para seducir a las hembras. El gallo lira vive principalmente en los bosques de los Alpes, los Cárpatos, Siberia…

El gallo lira cacarea, alternando su canto con silbidos: «chu-iisch».

Aquí vemos 5 aves clasificadas en el orden de las psitaciformes, aves tropicales conocidas como «loros».
Se ha comprobado que tienen una gran inteligencia y que realizan auténticas proezas sonoras. Algunas de estas aves imitan incluso la voz humana. Por desgracia, bastantes de estos psitaciformes están amenazados debido a la destrucción de su hábitat y al comercio ilegal de especies.

Guacamayo macao

Ara macao

Tamaño medio (cola incluida): 86 cm

Este guacamayo tiene la cabeza y el cuerpo rojos, las mejillas blancas y las diferentes plumas de las alas y de la cola, azules, amarillas y verdes. Es endémico de América Central y del Sur. Se puede ver a las parejas volar juntas, casi tocándose con sus alas. El guacamayo rojo es vegetariano: se alimenta de frutas, granos y nueces.

El guacamayo emite fuertes chillidos y graznidos: «rraaaa», «rec», «rouuuca».

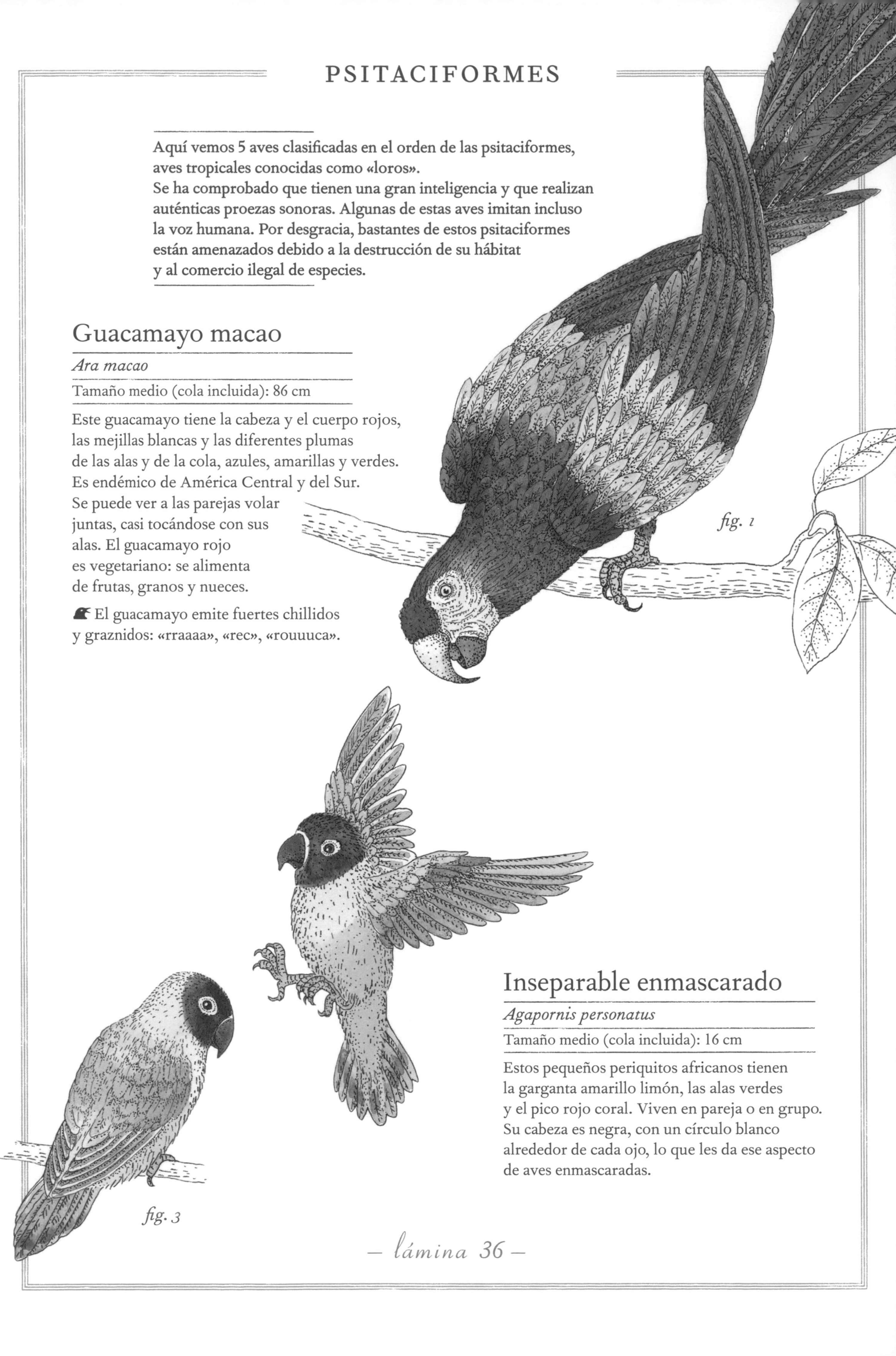

fig. 1

Inseparable enmascarado

Agapornis personatus

Tamaño medio (cola incluida): 16 cm

Estos pequeños periquitos africanos tienen la garganta amarillo limón, las alas verdes y el pico rojo coral. Viven en pareja o en grupo. Su cabeza es negra, con un círculo blanco alrededor de cada ojo, lo que les da ese aspecto de aves enmascaradas.

fig. 3

Cacatúa de moño amarillo

Cacatua galerita

Tamaño medio (cola incluida): 55 cm

Este loro grande y ruidoso de Oceanía es blanco, y su cresta está compuesta de 6 plumas amarillas. Se encarama preferentemente sobre los árboles de los manglares o cerca de las corrientes de agua. Vuela a mucha altura.
Las cacatúas de moño rojo viven en parejas o en pequeños grupos. Mientras el grupo se alimenta, algunos individuos suben a lo alto para hacer de centinelas y dar la voz de alerta en caso de peligro.

La cacatúa de moño chilla: «ah-yai-yah», «cai-yah».

Kakapo

Strigops habroptilus

Tamaño medio (cola incluida): 60 cm

Este loro nocturno tiene el plumaje amarillo verdoso y vive en Nueva Zelanda. Se oye al macho lanzar gritos variados y estruendosos para atraer a la hembra. En algunos períodos emite esos gritos durante ocho horas cada noche. El kakapo es, por otro lado, el ave más ruidosa del mundo. No puede volar, porque tiene las alas demasiado cortas (se le llama «áptero»), y está en grave peligro de desaparición a causa de las ratas que han colonizado las islas donde se reproduce.

El macho de kakapo lanza 20 «bum» seguidos, y luego un sonoro «shic».

Periquito
o cotorra australiana

Melopsittacus undulatus

Tamaño medio (cola incluida): 18 cm
Envergadura media: 30 cm

Este melodioso loro australiano está coloreado de amarillo y gris en la cabeza y las alas; su cuerpo es verde, estampado de ondas en la espalda y motas negras en el cuello. Tiene un pequeño abultamiento blando situado por encima del pico, que en el macho es azul. Existen ejemplares azules, blancos y negros, conseguidos mediante cruces realizados en cautividad. El periquito, que se adapta bien al clima europeo, se domestica con frecuencia.

El periquito cotorrea: su repertorio de voces es muy variado, pudiendo incluso aprender a silbar y a hablar.

Corocoro rojo
o ibis escarlata

Eudocimus ruber

Tamaño medio (cola incluida): 61 cm
Envergadura media: 101 cm

Como su nombre indica, el plumaje de este ibis es totalmente rojo. Su pico gris es fino, largo y curvado. El corocoro pesca gambas y cangrejos en los manglares de América Central y del Sur: estos crustáceos poseen un pigmento del que obtienen su vivo color. Vuela en colonias a mucha altura en el cielo y se posa en las copas de los árboles. Víctima de la caza furtiva a causa de sus magníficas plumas, el corocoro se encuentra en estos momentos en vías de extinción.

El corocoro rojo lanza un grito ronco y nasal.

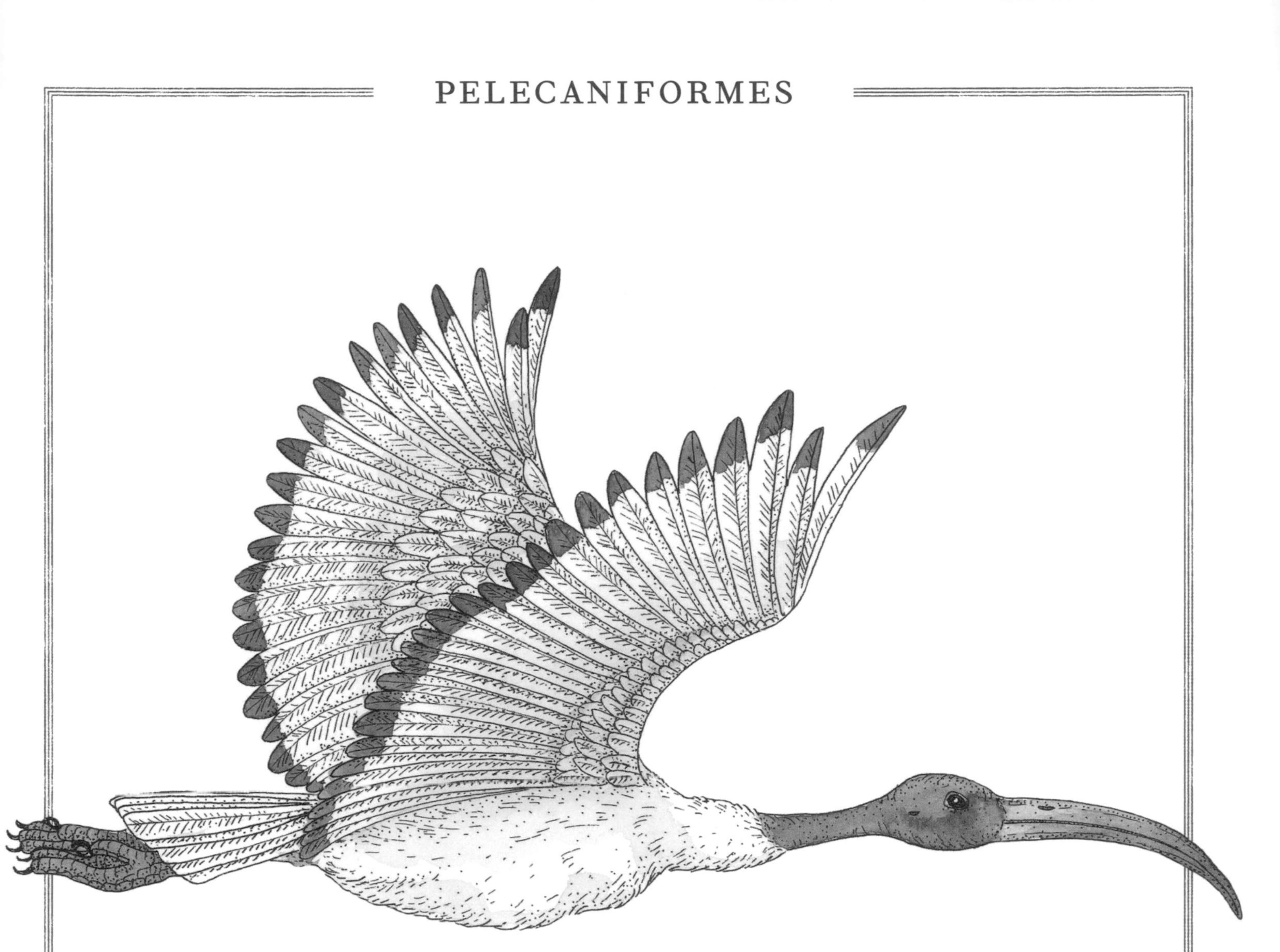

Ibis sagrado

Threskiornis aethiopicus

Tamaño medio (cola incluida): 89 cm
Envergadura media: 117 cm

El ibis sagrado, con su pico curvo, tiene las alas blancas y negras, el vientre blanco y el cuello desnudo y gris. Este gran cazador era un animal sagrado en el antiguo Egipto, porque encarnaba a Thot, dios de la sabiduría y de la ciencia. Vive en África subsahariana, cerca de los hombres, y se alimenta de desperdicios, de cadáveres de animales, de animales de agua dulce y de insectos. Algunos ibis que han logrado escaparse de parques zoológicos se han instalado en las costas atlánticas europeas y americanas.

fig. 1

Pelícano australiano

Pelecanus conspicillatus

Tamaño medio (cola incluida): 188 cm
Envergadura media: 245 cm

Este gran pelícano, blanco con las alas negras, vive en Oceanía, cerca de las aguas dulces. Posee un largo pico amarillo, una gran bolsa de piel amarilla o rosa que se vuelve escarlata durante la parada nupcial. Como todos los pelícanos, se sirve de esta bolsa como red de pesca. Hunde la cabeza en el agua y abre el pico para capturar los peces. Cuando saca la cabeza del agua, aprieta la cabeza contra el pecho para que escurra el agua y quede solo el alimento.

El pelícano australiano chilla, gruñe y chasquea el pico.

fig. 2

Pelícano pardo

Pelecanus occidentalis

Tamaño medio (cola incluida): 152 cm
Envergadura media: 216 cm

Este pelícano americano tiene el píleo amarillento sobre su cabeza blanca. La parte superior de su plumaje es gris estriada de pardo; la parte de abajo, marrón oscura. Su largo pico es rosa pálido. Sus cortas patas y sus dedos palmeados son negros. Es un ave acuática, muy poco hábil en tierra.

El pelícano pardo es silencioso cuando está fuera de la colonia, pero en ellas emplea unas llamadas graves y discordantes.

fig. 3

Cormorán imperial

Phalacrocorax atriceps

Tamaño medio (cola incluida): 76 cm

El cormorán imperial tiene cuatro dedos
unidos por una membrana rosa.
Sus ojos están ribeteados de azul,
y en su cabeza luce un penacho negro,
que desaparece después del período de nidificación.
Tiene la espalda negra y el vientre y la garganta,
blancos. Esta ave marina sabe nadar
y pesca sus presas buceando. Se le puede encontrar
en la Antártida y en la Patagonia (América del Sur).

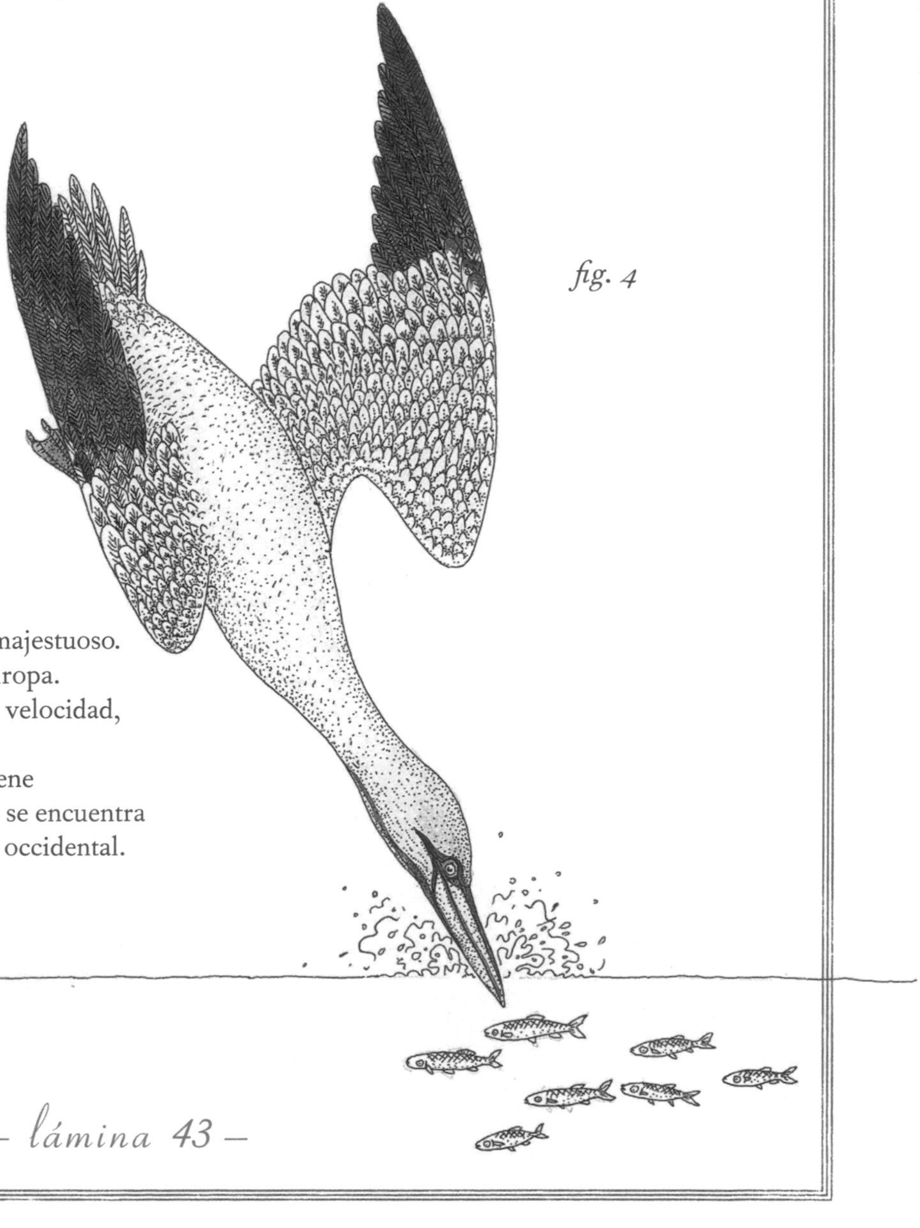

fig. 4

Alcatraz común

Morus bassanus

Tamaño medio (cola incluida): 94 cm
Envergadura media: 174 cm

El alcatraz es una gran ave acuática de porte majestuoso.
Vive únicamente en el Atlántico Norte, en Europa.
Para pescar, se zambulle verticalmente a gran velocidad,
y llega así hasta 10 metros de profundidad:
su cráneo reforzado y las bolsas de aire que tiene
en el pecho amortiguan el choque. En España se encuentra
en las costas del Atlántico y del Mediterráneo occidental.

La comunidad científica no ha llegado a un acuerdo pleno sobre la clasificación de las aves zancudas. Aún se discute si los ibis y las garzas deben incluirse en el orden ciconiformes o en el pelecaniformes.

Cigüeñas blancas en su migración

Ciconia ciconia

Tamaño medio (cola incluida): 108 cm
Envergadura media: 205 cm

La cigüeña vive en prácticamente toda Europa. Es blanca, con las rémiges negras, un puntiagudo pico anaranjado y largas patas rojas. A finales de julio se pueden ver vuelos de más de un centenar de cigüeñas que salen hacia África para pasar allí el invierno. Entre las aves, la migración puede ser innata o adquirida. ¡Las cigüeñas tienen que aprender! Este ejemplar hace su primer viaje en familia, para prepararse para la migración que efectuará él solo, cuando se separe de sus padres. Para orientarse, las aves migratorias tienen en cuenta al sol (que sale por el este) y la geografía: toman como referencia los ríos y el relieve de la Tierra. También son sensibles a las líneas invisibles del campo magnético terrestre.

La cigüeña es bastante silenciosa, y se comunica crotorando, es decir, haciendo chocar su pico de forma sonora en series rápidas: «clac clac clac clac clac».

Garza real

Ardea cinerea

Tamaño medio (cola incluida): 94 cm
Envergadura media: 185 cm

Esta gran ave gris de cabeza blanca, con el pico amarillo y penacho negro, caza al acecho. Permanece inmóvil hasta que, con un certero golpe de su afilado pico en forma de daga, atraviesa a sus presas: peces, batracios, reptiles y pequeños mamíferos. Luego expulsa los pelos en forma de bola, pero digiere las espinas. La garza real anida en los árboles altos. Al contrario que las cigüeñas o las grullas, vuela con el cuello doblado.
El último pollo de la nidada a veces no llega a abandonar el nido, ya que es demasiado débil para conseguir la comida que traen sus padres. Cuando muere, se lo comen sus hermanos y hermanas.

La garza real lanza fuertes graznidos: «creeeiic».

No es difícil encontrar sus huellas (14 cm de largo y 12,5 de ancho) sobre el barro de las orillas, con cuatro dedos ganchudos, tres hacia delante y uno hacia atrás.

Ánsar,
ganso u oca común

Anser anser

Tamaño medio (cola incluida): 84 cm
Envergadura media: 165 cm

El largo cuello, la espalda y las alas de los ánsares son de color gris-beis oscuro. Su cuerpo es más claro; el obispillo, blanco, y las patas palmeadas, de color rosa. Los ánsares ostentan el récord de vuelo en altura, con las grullas y los buitres. Incluso cuando hace mucho frío y el oxígeno escasea, no les molesta la altitud: su sangre, que tiene unos glóbulos rojos especiales, consigue transportar el oxígeno hasta los músculos. Se pueden ver en el cielo sus formaciones en forma de V.

Los ánsares trompetean: «onk, onk».

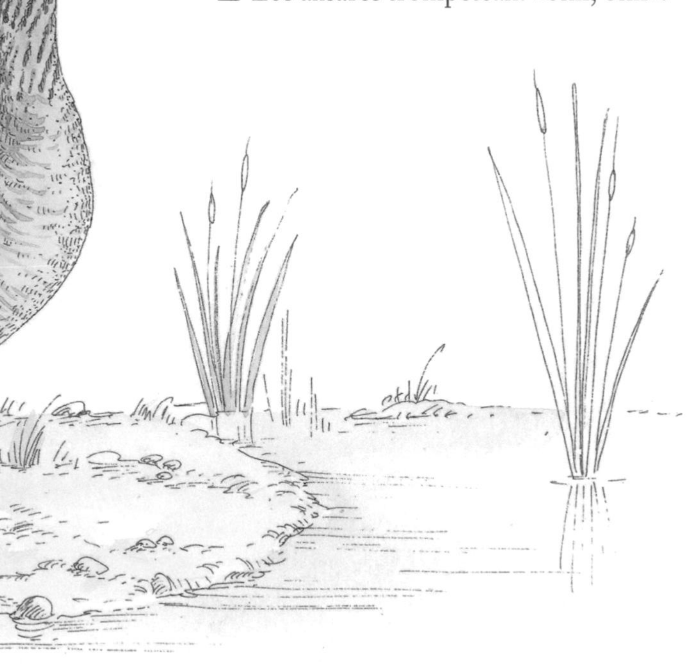

Águila calva
o pigargo de cabeza blanca

Haliaeetus leucocephalus

Tamaño medio (cola incluida): 96 cm
Envergadura media: 200 cm

Esta gran rapaz marrón y gris tiene la cabeza y la cola blancas. Su pico es ganchudo y cortante y sus ojos son azules. Busca presas vivas, como fochas, patos, ratones de campo y hasta liebres, y captura peces en la superficie. Sus garras aceradas son muy potentes. Vive únicamente en América del Norte y es el ave símbolo de los Estados Unidos.

El águila calva chilla: «kliik kik, ik, ik, ik».

Águila real

Aquila chrysaetos

Tamaño medio (cola incluida): 90 cm
Envergadura media: 190 cm

¡Es impresionante! El águila real, gran rapaz marrón con las alas oscuras, tiene una vista ¡siete veces mejor que la de los humanos! Con su mirada penetrante, localiza desde lo alto a sus presas (conejos o marmotas). La pareja permanece unida a lo largo de toda su vida, y construyen en lo más alto de la montaña un enorme nido donde macho y hembra se alternan para incubar sus huevos.

El águila real lanza un grito: «hié».

Ratonero común

Buteo buteo

Tamaño medio (cola incluida): 57 cm
Envergadura media: 120 cm

Gran rapaz muy común, el ratonero vive en los campos y los bosques, a veces cerca de los lugares habitados. Es pardo, con la parte baja de las alas jaspeadas de blanco. Sus alas son anchas y con los extremos redondeados. Su cola es poco larga, con una cenefa marrón. Se encarama a lo alto de los árboles y busca ratoncillos, ranas, gusanos o insectos.

El ratonero chilla: «kié».

fig. 3

Cernícalo americano

Falco sparverius

Tamaño medio (cola incluida): 27 cm
Envergadura media: 55 cm

El cernícalo americano, con la espalda y la cola de color pardo rojizo, tiene el pecho blanco y unas manchas negras bajo los ojos. Vive en los claros de los bosques o de las ciudades de América del Norte. Este pequeño halcón hace el nido en los huecos que se forman en los árboles.

La voz del cernícalo americano es una especie de chillido: «kiyi, kiyi, kiyi».

fig. 1

Cóndor

Vultur gryphus

Tamaño medio (cola incluida): 130 cm
Envergadura media: 300 cm

El cóndor macho tiene el plumaje negro metálico y blanco, y una cresta en la cabeza de la que carecen las hembras. La cabeza y el cuello de esta gigantesca ave de las montañas están desnudas. Su pico le permite desgarrar la carne de los cadáveres de los que se alimenta, como los de las llamas o las ardillas. Vive en la cordillera de los Andes, en América del Sur.

El cóndor silba y produce una especie de estornudos.

fig. 2

Pico ganchudo de los falconiformes.
Son todos carroñeros y carnívoros.

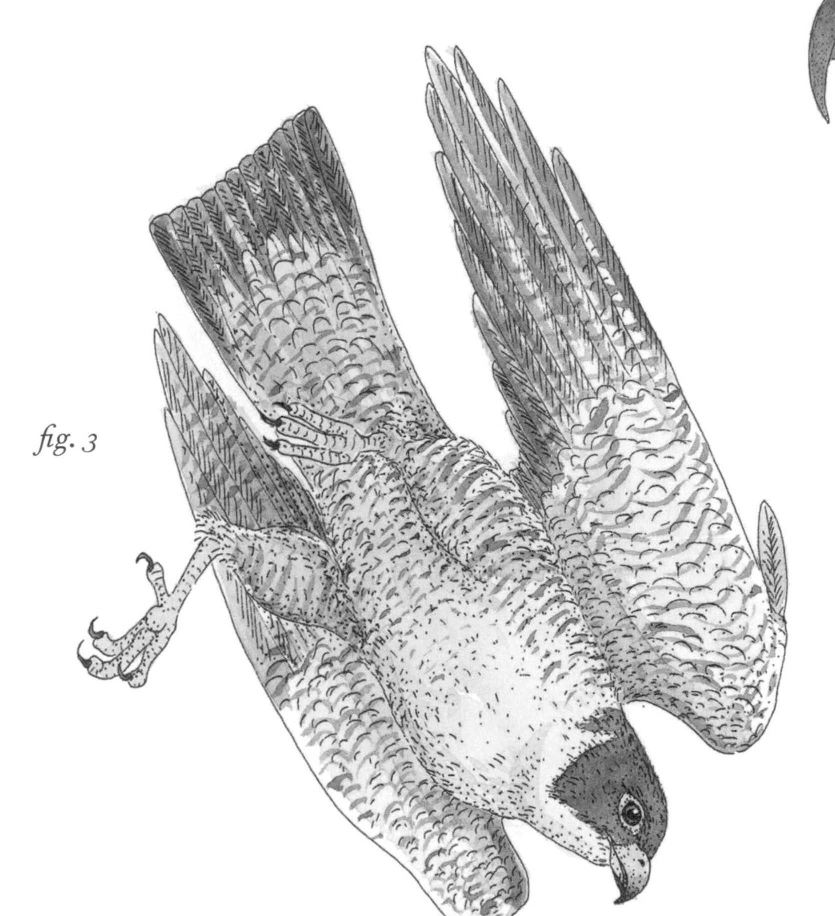

fig. 3

Halcón peregrino

Falco peregrinus

Tamaño medio (cola incluida): 50 cm
Envergadura media: 105 cm

El halcón peregrino tiene el plumaje de la parte superior de la cabeza y de los anchos bigotes de color negro, que parece que lleva un casco. Vive en solitario en la montaña, pero también se le encuentra en las poblaciones y en la costa. Vuela a una velocidad de entre 130 y 180 km/h de media, pero puede hacer picados a más de 200 km/h para atrapar a sus presas. Es el ave más rápida del mundo. En los últimos años, este halcón robusto se instala frecuentemente en las ciudades.

El halcón peregrino lanza gritos: «shik, shik».

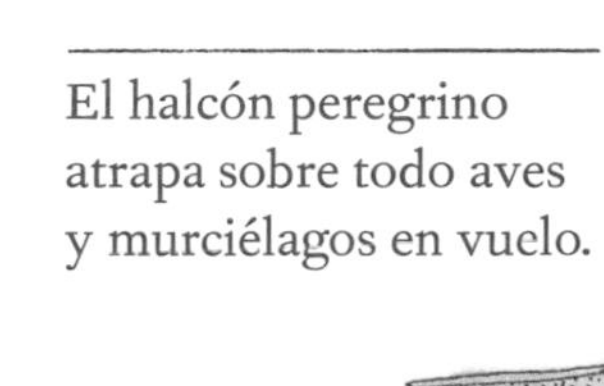

El halcón peregrino
atrapa sobre todo aves
y murciélagos en vuelo.

Gavión atlántico

Larus marinus

Tamaño medio (cola incluida): 72 cm
Envergadura media: 159 cm

El gavión atlántico es la mayor de todas las gaviotas. Con la cabeza y el cuerpo blancos, las alas negras, el pico, los ojos y las patas palmeadas de color amarillo claro, se le ve por todas las zonas costeras. Hace su nido en el suelo o en un hueco entre las rocas, y lo forra con algas y hierbas.

El gavión atlántico vozna: «ooou, ooou».

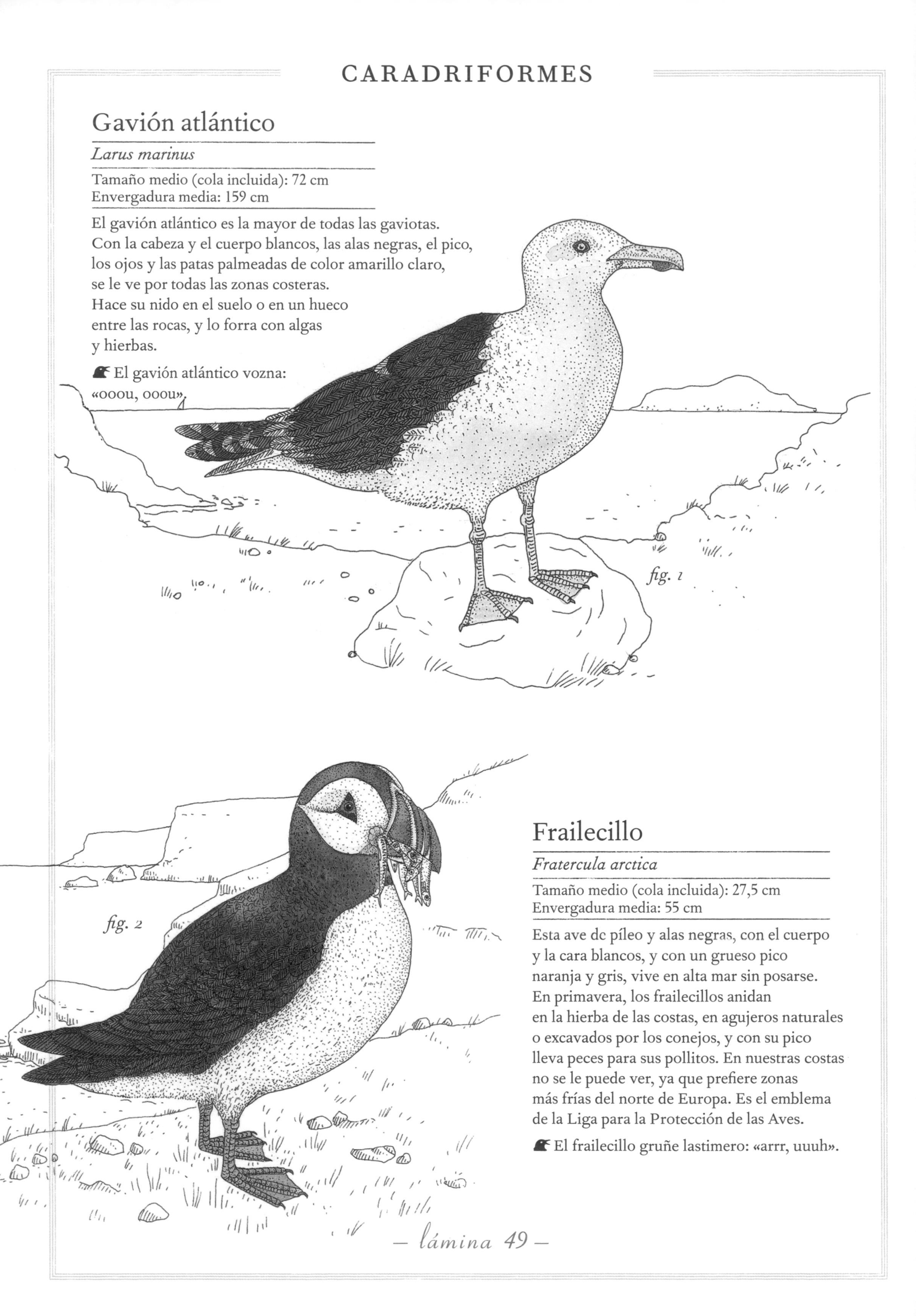

fig. 1

Frailecillo

Fratercula arctica

Tamaño medio (cola incluida): 27,5 cm
Envergadura media: 55 cm

Esta ave de píleo y alas negras, con el cuerpo y la cara blancos, y con un grueso pico naranja y gris, vive en alta mar sin posarse. En primavera, los frailecillos anidan en la hierba de las costas, en agujeros naturales o excavados por los conejos, y con su pico lleva peces para sus pollitos. En nuestras costas no se le puede ver, ya que prefiere zonas más frías del norte de Europa. Es el emblema de la Liga para la Protección de las Aves.

El frailecillo gruñe lastimero: «arrr, uuuh».

fig. 2

Gaviota reidora

Larus ridibundus

Tamaño medio (cola incluida): 40 cm
Envergadura media: 99 cm

Esta gaviota tiene la cabeza marrón, el cuerpo blanco, las alas grises y el pico y las patas de color naranja. En invierno, pierde su casquete pardo y solo le quedan unas manchas similares a sombras tras los ojos. Vive en lugares donde hay agua dulce. Su grito, que parece una carcajada, le da su nombre. Contrariamente a lo que se suele pensar, la gaviota no es un ave exclusivamente marina. Se reproduce tierra adentro, a lo largo de las corrientes de agua, lagunas, estanques, zonas pantanosas…

El grito de la gaviota reidora es un graznido sonoro, nasal o ronco: «cuarrr».

Ostrero euroasiático

Haematopus ostralegus

Tamaño medio (cola incluida): 43 cm
Envergadura media: 83 cm

Con la cabeza y la espalda negras, un largo pico y patas anaranjadas, el ostrero, ave de costa, come menos ostras que almejas, cangrejos y camarones en la marea baja. Percute las conchas y los caparazones, o introduce su pico en el interior de los moluscos para cortar el músculo que une las dos valvas. Protege sus huevos y a sus crías impidiendo que las demás aves se les acerquen.

El ostrero grita de forma estridente: «clip clip clip».

El nido del ostrero es muy sencillo: una depresión en el suelo, forrada de algas y de conchas. Sus huevos son amarillentos, muy claros, y estriados de marrón y negro, y se confunden con el suelo.
El ostrero cuenta con que, con este camuflaje, los predadores no lo descubran. Esta estrategia evolutiva se denomina «mimetismo».

Alca común

Alca torda

Tamaño medio (cola incluida): 38 cm
Envergadura media: 65 cm

El alca común vive en las costas rocosas del Atlántico Norte. Esta ave pasa todo el año con la cabeza y la espalda de color negro, salvo en invierno, que la cabeza le cambia a blanco. Vuela rápidamente a ras del agua gracias a sus alas cortas y redondeadas. Puede nadar, valiéndose de sus alas a modo de aletas.

El alca común gruñe de forma ronca, sobre todo cuando está en colonias.

Charrán sombrío

Sterna fuscata

Tamaño medio (cola incluida): 33 cm
Envergadura media: 80 cm

El charrán sombrío, con sus alas puntiagudas y su cola en forma de horca, es un viajero grácil que no se posa en tierra más que en los períodos de reproducción. Duerme en pleno vuelo y busca su alimento mar adentro, en la superficie del agua, sin zambullirse. Puede permanecer así mucho tiempo en el aire, sin posarse. Su cabeza y su manto son negros como el carbón, que es lo que significa en latín su nombre científico. Las aves marinas poseen a menudo un plumaje sombrío por encima y claro por debajo. Se trata de una adaptación que les permite ser detectados con más dificultad por sus presas, los peces.

El charrán sombrío emite graznidos chirriantes.

Charrán común

Sterna hirundo

Tamaño medio (cola incluida): 33 cm
Envergadura media: 89 cm

El charrán común es un ave con la cabeza negra, el plumaje blanco y las patas rojas, que vive en colonias ruidosas. Se parece mucho al charrán ártico, pero su pico rojo, con una mancha negra, nos permite distinguirlos. Se puede encontrar al charrán común a lo largo de las costas y de las riberas de ríos y lagos. Es piscívoro, y se alimenta de numerosas especies de peces de agua dulce, a pesar de que su tamaño no les supere más que en unos pocos centímetros. También llamado «golondrina de mar», por su vuelo gracioso, esta ave migratoria va a invernar en las costas de África Occidental.

El charrán común lanza gritos rápidos: «kirri kirri kirri», «kikikiki».

fig. 2

Petrel gigante
o abanto marino

Macronectes giganteus

Tamaño medio (cola incluida): 92 cm
Envergadura media: 200 cm

Como todas las aves del orden de los procelariformes, esta imponente ave marina tiene glándulas de sal al lado de sus grandes orificios nasales. Le sirven para eliminar el exceso de sal absorbido con el agua de mar, expulsándola por secreción. El petrel gigante también es un carroñero que merodea sin cesar por entre las colonias de pingüinos para alimentarse de huevos sin eclosionar y cadáveres de pollos.

El petrel gigante chilla.

Albatros viajero

Diomedea exulans

Tamaño medio (cola incluida): 122,5 cm
Envergadura media: 290 cm

El albatros viajero es una de las mayores aves de todo el mundo. Su plumaje está moteado de marrón, y tiene largas alas con los extremos negros. Captura sus presas, entre ellas los calamares, con su gran pico de 18 cm, posándose sobre el agua. Un mecanismo de repliegue de sus alas le permite volar durante muchos días sin fatigarse y sin posarse. También se le llama albatros errante.
El albatros es un ave silenciosa, que solo emite una especie de balidos guturales cuando disputa por la comida.

Pingüino emperador

Aptenodytes forsteri

Tamaño medio (cola incluida): 114 cm

El pingüino emperador tiene la cabeza, toda la espalda y las patas palmeadas negras, y el resto del cuerpo blanco, con una mancha amarilla en la zona de los oídos. Viven en posición erecta sobre el hielo, en el Polo Sur, en colonias de muchos millares de parejas. Son incapaces de volar, y para desplazarse caminan bamboleándose o se deslizan sobre el vientre. Nadan especialmente bien y pueden llegar hasta 400 metros bajo el agua para pescar peces y krill, ya que sus alas planas y rígidas le sirven como aletas.

Los pingüinos emperadores tienen un sistema muy complejo de voces que permiten que los miembros de la pareja se reconozcan entre ellos e identificar a su pollo entre otros miles. Esta voz es una especie de «uinnnn, uin, uinnnnn».

Avestruz

Struthio camelus

Tamaño medio (cola incluida): 243 cm

Con un largo cuello rosa, alas negras en el macho y gris parduzco en la hembra, y las patas rosas, el avestruz pesa 100 kilos de media, pudiendo llegar algunos machos hasta los 140 kg. Es el ave más pesada del mundo. El avestruz corre muy rápido, apoyándose sobre uno de sus dos dedos. Puede saltar hasta metro y medio de altura y cuatro metros de longitud. El avestruz africano no puede volar, porque no tiene músculos adecuados en las alas.

El avestruz de África lanza gritos sonoros: «boo-boo-boo-hoo».

El huevo del avestruz es el más pesado de todos los huevos. Pesa entre 750 gramos y 1,6 kilos, y mide 16 cm de alto y 13 de ancho (el huevo de la gallina mide 4 cm de alto). Los machos se encargan de hacer el nido para la puesta, excavando en la tierra.

Kiwi

Apteryx australis

Tamaño medio (cola incluida): 65 cm

El kiwi, ave endémica de Nueva Zelanda, es incapaz de volar, ya que tiene sus alas reducidas a muñones. Sus robustas patas de color marrón están cubiertas en parte por escamas. Su plumaje es pardo. Un hecho raro entre las aves: el kiwi ve muy mal, pero tiene un olfato muy desarrollado. Olfatea y hunde su largo pico en el suelo para encontrar su alimento.

El kiwi lanza un silbido estridente; de ahí su nombre: «ki-ui».

Grulla coronada cuellinegra

Balearica pavonina

Tamaño medio (cola incluida): 103 cm
Envergadura media: 190 cm

La grulla coronada tiene el cuerpo, las rémiges primarias y el cuello de color gris oscuro. Sus plumas coberteras son blancas, y las de la cola, de color castaño. Tiene la frente negra y las mejillas rojas con un toque de blanco sobre los ojos. Sobre la cabeza luce una cresta de plumas finas y rígidas de color dorado, dispuestas como una corona, de donde le viene su nombre. Vive en África subsahariana, cerca del agua y del ganado, picoteando el suelo para encontrar insectos, moluscos y semillas. Para echar a volar, esta ave tiene que tomar carrerilla.

La grulla coronada trompetea: «wonk», «ka-wonk».

Flamenco común

Phoenicopterus roseus

Tamaño medio (cola incluida): 135 cm
Envergadura media: 150 cm

El flamenco común tiene cinco primos fenicopteriformes: todos ellos son grandes aves acuáticas, de largas patas y largo cuello, y con un pico muy particular la mandíbula inferior es mayor que la superior. En el borde de cada una de ellas, unas laminillas en forma de peine filtran los crustáceos y las algas que consume. El flamenco común es el mayor de todos los flamencos. El color de su plumaje se debe a los pigmentos carotenoides que encuentra en su presa favorita: un pequeño camarón llamado artemia. El pollo, al salir del cascarón, tiene las plumas blancas.

El flamenco común lanza un doble grito nasal y ronco: «kakak», «keké», «gagg agg».

ÍNDICE

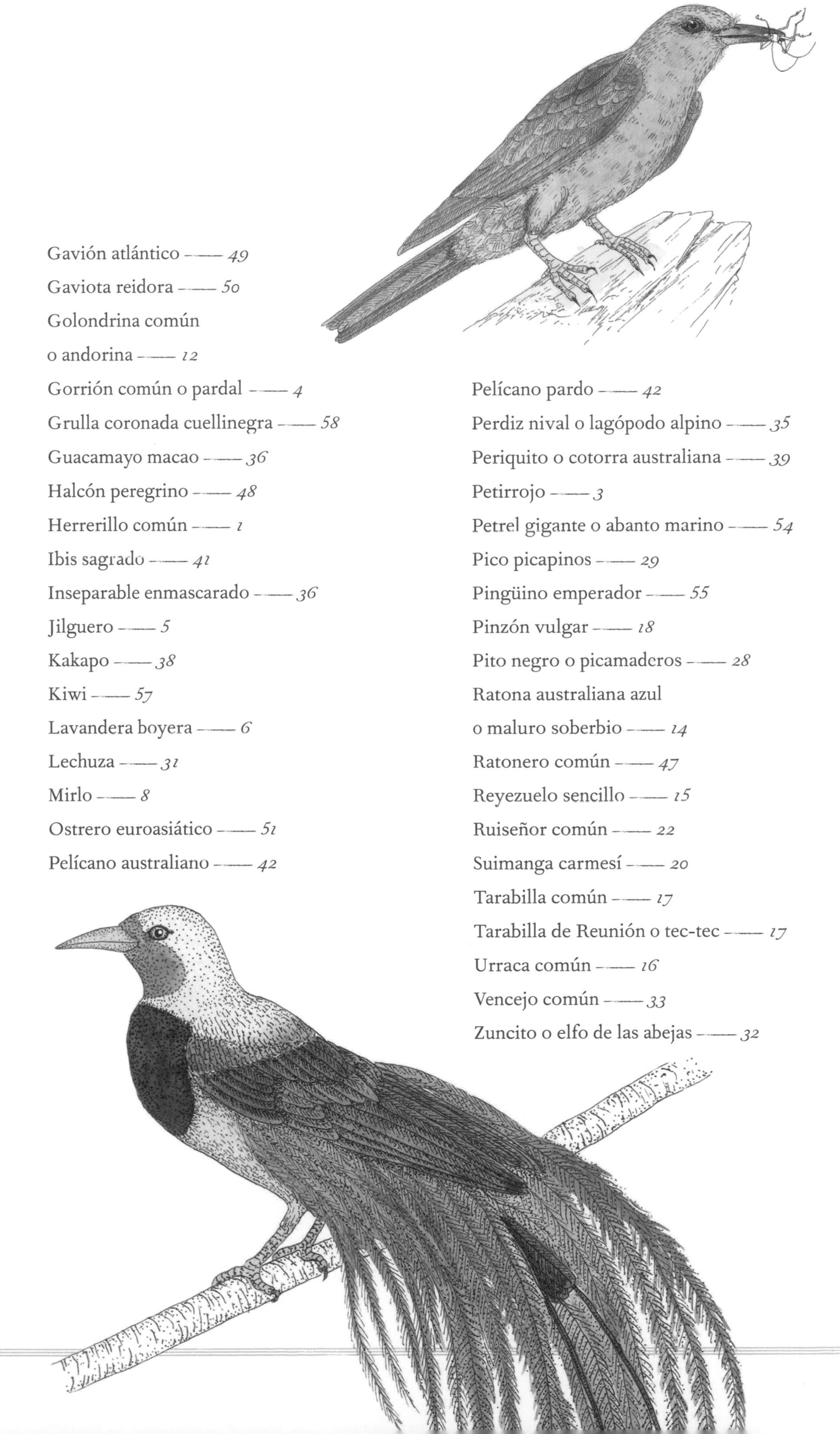